D0830969

Jeanette Peters

# HOE WIJ MODERN WERDEN

Jaren

# 50, 60 en 70

Uitgeverij Aspekt

***Hoe wij modern werden***


Amersfoortsestraat 27, 3769 AD Soesterberg, Nederland
info@uitgeverijaspekt.nl - http://www.uitgeverijaspekt.nl

Omslagontwerp: Noura Amharech
Binnenwerk: Mark Heuveling
Foto's binnenwerk: Lydia Funneman

ISBN: 9789461537416
NUR: 680

*Iedere generatie staat op*
*de schouders van de vorige*

# Inhoudsopgave

# Voorwoord

Het artikel dat ik lees over een man die een jaar lang internet heeft afgezworen, telt twee pagina's. Hij vertelt over de zee van tijd die hij er ineens bij kreeg, maar hoe hij zich wel afgesneden voelde van de 'gewone' maatschappij en hoe ingewikkeld het leven is zonder internet. Alsof hij zichzelf zonder de moderne social media als het ware teruggeworpen voelt in een stenen tijdperk, bijna als een uitgestotene.

In dit boek komen de dertig jaar aan bod tussen 1950 en 1979.

Ik voel me nog echt niet stokoud, maar ik realiseer me dat ik in een wereld leef die sinds mijn kindertijd op álle fronten onherkenbaar veranderd is. In mijn jeugd leefde Nederland nog voor een heel groot deel in een agrarische maatschappij. Het leven was overzichtelijk en ging een rustige gang.

Het was een tijd zonder plastic, parttime baan, computer, diepvries, kant-en-klaarmaaltijd, McDonald's, kinderdagverblijf, mobieltje, therapieën en drugs. Roken was nog chic en stoer en de feesten duurden van acht tot hooguit twaalf uur.

Geheugen had toen nog slechts te maken met je hersenen en laden deed je op een kar. De pil was een aspirine en een tablet was een grote chocoladereep. Cards waren Engelse speelkaarten, zoals aids Engelse helpers waren. Chips waren om op te eten en homo was Latijn voor mens. Piercings kenden we wel, maar alleen door de neus van een stier, en relaties hadden alleen nog met zaken te maken.

Vrouwen konden slechts kiezen uit een paar algemene gezichtscrèmes, enkele merken lipstick en rouge en eau de cologne voor een lekker luchtje. Zelfs deodorant moest nog op de markt komen. Mannen schoren zich gewoon met een scheermes en aftershave was er nog niet. Niets werd nog aan een lichaam veranderd, weggezogen of aangevuld, behalve vanuit medische noodzaak.

Nog even dit:

- In elk decennium komt het (afkalvende) geloof aan bod. Omdat ik zelf een katholieke achtergrond heb en daar ook de grootste én snelste veranderingen plaatsvonden, ga ik steeds van die religie uit, maar ongetwijfeld zal men vanuit protestantse kringen soortgelijke ontwikkelingen kunnen schetsen.
- Het is niet helemaal duidelijk wat in taalkundig opzicht de juiste benaming is: 'de vijftiger, zestiger, zeventiger jaren' of: 'de jaren vijftig, zestig, zeventig'. Beide mogelijkheden worden door elkaar gebruikt.
- Dit boek beperkt zich tot datgene wat de gewone burger in zijn eigen omgeving beleefde. Politieke en economische macrostructuren hebben geen grote plaats gekregen, tenzij de gevolgen daarvan direct in de huiskamers werden ervaren.
- Al gaat het over een voltooid verleden tijd, ik kies ervoor de tijdvakken te beschrijven vanuit de tegenwoordige tijd.

Veel leesplezier,
Jeanette Peters

# DE VIJFTIGER JAREN

De vijftiger jaren in Nederland. Maar 'de' vijftiger jaren bestonden natuurlijk niet. En 'Nederland'? Niemand gebruikte in die tijd het woord Nederland. Zo heette ons land natuurlijk wel en zo stond het ook op de postzegels en in je paspoort, maar voor binnen- en buitenland, bij songfestival of voetbalcompetitie heetten wij 'Holland' en zo noemden we onszelf ook al eeuwen: Hollanders!

In 1945 – de Tweede Wereldoorlog is net afgelopen – ligt ons land in puin, letterlijk en figuurlijk. Een paar jaar later komt vanuit de VS de Marshallhulp, dat enorme steunkapitaal voor West-Europa, op gang en helpt het verarmde Europa weer overeind. Nederland alleen al krijgt het bedrag van één miljard dollar, gigantisch, in die tijd. Mede daardoor beginnen we de toekomst weer met optimisme tegemoet te zien en overal wordt volop gebouwd en hersteld. Aan het einde van de vijftiger jaren maken we zelfs al kennis met het begrip 'welvaart'.

***Braaf, veilig en gezapig***

Het leven is vooral nog heel braaf en gezapig in die vijftiger jaren van de vorige eeuw. Vol rotsvaste waarheden en normen die ook nooit meer lijken te gaan veranderen. De meeste mensen hebben dan veel ellende achter de rug. In de dertiger jaren was er de rampspoed van de Grote Depressie geweest, waardoor velen in grote armoede leefden, en in de veertiger jaren kwam daar de Tweede Wereldoorlog overheen. Nu wil men eindelijk weer zekerheid en vaste grond onder de voeten. Al woedt de Koude Oorlog in alle hevigheid, het gewone leven blijft veilig. De jaren vijftig: ze lijken saai en braaf, maar ze zijn daardoor ook overzichtelijk, betrouwbaar en stabiel. Orde, duidelijkheid en discipline, dat geeft tenminste houvast.

We hebben nog veel vertrouwen in de medemens en daar wordt in het algemeen ook niet veel misbruik van gemaakt. ‘s Morgens staan voor de melkboer de lege flessen op de stoep, het briefje met de bestelling steekt in een flessenhals en het te betalen geld ligt eronder. De volle flessen, met de boter en de eieren ernaast, blijven soms urenlang onaangeroerd staan tot de bewoner thuiskomt. Zo gaat het ook met andere zaken. Overal hangen touwtjes uit de brievenbussen, zodat thuiskomende kinderen zelf naar binnen kunnen en niet hoeven aan te bellen.

In ons rijtje van ongeveer tien voordeuren beschikt één gezin over een ‘loper’, een sleutel die op al die voordeuren past en die met groot gemak gewoon wordt uitgeleend; dat is immers wel handig wanneer je eigen sleutel per ongeluk binnen ligt. Niemand die zich daarbij afvraagt of dat allemaal zomaar kan. Achterdeuren en ramen zijn overdag zelden op slot, evenmin als de fiets en de kinderstep die tegen het hek leunen. En al weet iedereen wel dat je die beter wél op slot kunt zetten, omdat af en toe toch wel eens een fiets of step wordt meegenomen, men gaat er gewoon niet serieus van uit dat het ook echt zal gebeuren. Dat slot op de fiets is trouwens overal hetzelfde simpele beugelslot, bepaald niet solide. Als het sleuteltje kwijtraakt, biedt een schroevendraaier of mes al snel uitkomst en zelfs schoolkinderen kunnen het open krijgen. Betere sloten of kettingen om je fiets vast te leggen bestaan niet eens, simpelweg omdat ze niet nodig zijn. Ook het begrip 'kleine criminaliteit' bestaat nog niet; we zijn al geschokt over twee inbraken en een gestolen auto in één weekend en die staan dan ook groot uitgemeten in de plaatselijke krant. Met de echt 'grote jongens' krijgt een gewoon mens nooit te maken.

Liedjes vertellen over de naïviteit en de eenvoud van toen:

*'Mijn achterband is wel wat zacht, maar het geeft niet lieve pop, spring maar achterop...';*

*'In de bus van Bussum naar Naarden, een klap en toen: in de bus van Bussum naar Naarden gaf je mij een zoen...';*

*'Je kreeg een kleurtje en zei nee, hoe komt u op het idee, u bent beslist abuis/maar na verloop van nog geen jaar/ werden wij een paar/stonden wij samen op de stoep van het stadhuis...';*

*'Op mijn paarse postpapier/lieve Frans schrijf ik je hier/duizend kusjes stuur ik jou...';*

*'... Amor lachte tevreden om zo'n keur van kansen/ want menig hartje dat hij overwon...';*

*'Af en toe gaan pa en moe met ons naar de speeltuin toe/dat is voor ons kind'ren het fijnste dat bestaat...';*

*'We gaan naar Zandvoort, al aan de zee/we nemen broodjes en koffie mee...';*

*'Ja, zo'n reisje langs de Rijn, Rijn, Rijn/ja, dat is zo reuzefijn, fijn, fijn...'*

Voorgoed verdwenen onschuld. Al hebben zich ook toen natuurlijk achter die knusse voordeuren grote drama's afgespeeld.

### *Koude oorlog*

Het is nu vrede, maar de Tweede Wereldoorlog zit nog vooraan in de herinnering en daar wordt ook nog heel veel over gesproken. De eerste (en laatste) atoombommen op Japan hebben nog maar zo kort geleden hun verwoestende werking getoond en we zijn oprecht bang voor een mogelijke nieuwe (atoom) oorlog. Die is ook niet denkbeeldig nu we midden in de Koude Oorlog zitten. We zijn ervan overtuigd dat het communisme, Rusland voorop, het vrije westen overal beloert en bedreigt. Daarom wordt in 1952 de Bescherming Bevolking (BB) opgericht; het is een organisatie die het volk moet helpen om zich te beschermen tegen de directe gevolgen van zo'n eventuele kernoorlog. De BB bestaat oorspronkelijk grotendeels uit vrijwilligers(!) en dankzij hen én de verspreide regeringspamfletten weten we wat we moeten doen als de bommen vallen: onder de tafel gaan zitten met een metalen emmer of vergiet op je hoofd. Serieus aanbevolen! Maar beter kun je natuurlijk de kelder invluchten en als die er niet is het toilet in, want daar, in de kleinste ruimte van het huis, is de kans op een voltreffer statistisch gezien het kleinst. Ook is het goed om steeds een tas met levensmiddelen klaar te hebben staan en een flinke hoeveelheid water in flessen en emmers. In de kelder liggen dan natuurlijk ook dekens en een zaklamp klaar, zodat je met dat alles een aantal dagen kunt overleven tot de wereld weer veilig is. De meesten geloven het heus.

Hoe je daarna met de radioactieve fall-out en de vele doden moest omgaan, kwam niet ter sprake. Ik maak me als kind nota bene zorgen over de mensen die in een flat wonen, want die hébben immers geen kelder.

In de jaren daarna worden we als wereldburgers een stuk minder naïef.

### *Woningen en woningnood*

De huizen in die tijd zijn nogal eenvormig en ook de indeling is globaal dezelfde. Het zijn de kamers die verschillend zijn in grootte; aantal en inrichting die armoede of rijkdom bepalen.

Bijna altijd zijn er twee woonkamers, 'kamer en suite' genoemd, of: voor- en achterkamer, of: zit- en eetkamer, met daartussen schuifdeuren. De voorkamer ligt aan de straatkant en wordt zelden echt bewoond, die is voor de hoogtijdagen of visite. De achterkamer, uitkijkend op de achtertuin, is meestal de eigenlijke woonkamer. Of men huist zelfs vooral in de keuken, dat spaart kolen. De ramen zijn om die reden ook niet erg groot. Er zijn in elk van deze kamers hooguit twee stopcontacten en als het meezit nog twee in de rest van het huis. Afhankelijk van de grootte van het huis zijn er drie, maar soms wel zeven slaapkamers. Keukens hebben standaard een granieten aanrechtblad, wc's net zo standaard een stortbak van gietijzer, met een lange ketting eraan om door te trekken.

Centrale verwarming is er nog nauwelijks en als die er wel is, zoals in scholen, dan staat daarvoor in de kelder een enorme kachel, die gestookt wordt met steenkool. De kolenkachel in de kamer is vaak de enige warmtebron in huis. Die wordt in de winter zoveel mogelijk brandend gehouden en dat is nog een heel gedoe. 's Morgens zijn er twee mogelijkheden: de kachel is uit of de kachel is nog aan. Uit? Met behulp van pook, asla, kranten en met vuile handen gaan de koude restanten van de kolen, de as en de sintels op een krant en in de vuilnisbak; de nog niet opgebrande kolen gaan terug in de kolenkit. Een nieuwe krant in de kachel, aanmaakhoutjes erop en als die goed branden: een dun laagje kolen, dat eerst weer goed moet gaan branden (of dat lukt, is enigszins te volgen door de kwetsbare en beroete micaruitjes), daarna een nieuw dun laagje kolen en nog een, tot die onderste laag goed doorbrandt. Met teveel haast, te weinig houtjes of slechte kolen kun je na een uur ellende alles herhalen. Tussendoor valt er nog wel iets te regelen met schuiven die de luchttoevoer bepalen.

Is het vuur in de kachel 's morgens nog wel een beetje aan, dan even goed aan het beweegbare rooster schudden om de dode as te verwijderen, en hopen dat het overgebleven vuur krachtig genoeg is om wat houtjes en het volgende laagje kolen te doen opvlammen. Zo niet? Dan volgt de eerste omschreven procedure. Dit ochtendritueel geldt in de winter voor elk huisgezin.

De ene soort kolen is trouwens de andere niet. Je kunt kiezen uit veel soorten, die allemaal hun eigen brandbaarheid én hun eigen prijzen hebben. Cokes, eierkolen, drietjes of vijfjes, briketten... En hoeveel mud is er nodig om de winter door te komen? In de zomer, de goedkoopste tijd, dragen mannen, zwart van het kolenstof, de zakken kolen naar kelder of schuur. De winters leken in die tijd trouwens veel kouder dan nu. Logisch, met die meestal maar éne kachel.

Na een paar nachten vorst is het overal in huis ijzig koud geworden, met een dikke laag ijsbloemen op de ramen en steenkoud beddengoed. Die kou wordt daar enigszins bestreden met extra dekens en een kruik in bed (nog niet de rubberen zak, maar metalen kruiken, in een sok van vader). Of, bij gebrek aan voldoende kruiken voor al die bedden, heet water in een lege fles, goed de kurk erop en ook die dan in zo'n sok.

Voor de mannen is er 's winters lang ondergoed, voor de meisjes en vrouwen over hun toch al stevige onderbroek nog een directoire: een dikker, flanellen exemplaar, en over hun onderhemd nog een extra wollen, gebreide uitvoering: de borstrok. Niet elegant, wel warm en niemand ziet die immers.

Geen wonder dat er nog veelvuldig po's onder de bedden staan, het is geen pretje om in de nacht het donkere en vooral steenkoude huis door te moeten naar die ene wc, die meestal ook nog ver van de slaapkamers verwijderd ligt.

Badkamers zijn er in de goedkopere woningen niet. De hele familie moet het vaak doen met die ene koudwaterkraan in de keuken; soms is er een extra kraan in een van de slaapkamers. Af en toe moet natuurlijk meer gedaan worden dan alleen een natte washand over het lichaam. Kinderen en volwassenen gaan daarom vaak op zaterdag in de grote zinken wasteil. De kachel in de keuken wordt extra opgestookt en grote ketels water worden op het fornuis warm gehouden. Vaak gaan drie of vier kinderen in hetzelfde water, voordat het wordt ververst. De waterdamp, het gesleep met het schone én vuile hete water, het gebukte schoonboenen en tussendoor het kindergekrijs, zowel van plezier als van 'zeep in mijn ogen!' maakt die wekelijkse wasbeurt bepaald niet tot een simpel klusje.

De kinderen zien hun ouders nooit bloot, vaak ook de zusjes hun broers niet en andersom, dat heeft natuurlijk alles te maken met 'onkuise gedachten'. Je kunt overigens ook met handdoek en zeep naar het badhuis gaan, waar tegen betaling gedoucht kan worden, maar voor een heel gezin wordt dat meestal te duur. Ook het zwembad is een manier om schoon te worden, maar ja, dat kost ook geld. Badkamers, in de duurdere huizen, zijn ook echte *bad*kamers; douches in de woningen beginnen pas later aan een voorzichtige opmars.

Vaste vloerbedekking wordt nog niet gelegd en parket ligt alleen in de betere huizen. Bij de gewone man ligt overal zeil, met in de woonkamers kokosmatten of een kleed. Een iets welgestelder gezin legt linoleum met een dikker vloerkleed. In de slaapkamers ligt ook overal zeil, met een kleine voetenmat voor het bed.

Over zeil gesproken: 'een zeiltje' ligt in veel huizen standaard over de keuken- of eettafel; met één haal van de vaatdoek is die weer schoon. Tja, die vaatdoeken. Je kunt ze natuurlijk kopen, maar dat wordt in die zuinige vijftiger jaren weinig gedaan. Heel vaak worden afgeschreven stukken handdoek of theedoek daarvoor gebruikt. Ook versleten ondergoed kan nog goed als vaatdoek dienen en dat is vaak ook nog als zodanig te herkennen. Meestal is wel de moeite genomen om het elastiek en het kruis uit die oude onderbroek van oma te knippen, die nu vol scheuren en gaten raakt in zijn nieuwe bestaan.

De tuinen zitten grotendeels in het verdomhoekje; er bestaat nog niet iets als een echte tuincultuur in Nederland. Er zijn wel mooie tuinen, maar die zijn van de echte liefhebbers. Meestal bestaat de voortuin uit grind met wat struiken erin. De achtertuin is vaak een grind- of grasveld, eveneens met struiken aan de randen, of op zijn best wat bol- en knolgewassen. Veel huizen moeten het echter slechts doen met een 'plaatsje' van straattegels. Delen van de tuin zijn soms in gebruik als moestuin: boontjes, rabarber, aardbeien, spinazie, sla.

In de kelders, zolang die niet als vluchthonk in een oorlog hoeven te dienen, worden steenkool, aardappels en ingemaakte groenten bewaard. Ze dienen daarnaast vooral als koelkast. Totdat die zijn intrede doet, is de kelder de koelste plek in huis, dus de bewaarplaats voor melk, groenten en vlees. Toch zijn verse groenten in de zomer al snel niet meer vers, de melk wordt zuur, en fruit, vlees en vis dienen snel gegeten te worden.

Café-eigenaren, viswinkels of slagers hebben een echte 'ijskast' en laten staven ijs bezorgen; lange blokken bevroren water van soms tientallen kilo's worden door sterke mannenschouders zo'n geïsoleerde kast in gedragen.

De enorme woningnood na de oorlog leidt tot inwoning op grote schaal. Tussen 1950 en1956 worden in Amsterdam meer dan100.000 huwelijken gesloten, waarvan nog geen 13.000 stellen meteen in een eigen woning kunnen trekken. Al die anderen moeten ergens inwonen (of zelfs een tijdlang ieder bij hun eigen ouders blijven wonen, omdat er gewoon niet voldoende woonruimte te vinden is). De pas getrouwde stellen trekken na hun huwelijk massaal in bij een van de ouders en wonen dan in één of twee kamers, of op de provisorisch omgebouwde zolder. Voor beide partijen is het geen pretje! Vooral wanneer er bij het jonge gezin een kind komt, is de overlast vaak zo groot, dat je kunt spreken van regelrechte drama's. De 'babyboomgeneratie' wordt nu geboren, waardoor alsmaar meer en grotere huizen nodig zijn. Wel worden nieuwe woningen in moordend tempo uit de grond gestampt, maar het zijn er altijd te weinig.

De eerste flats worden opgeleverd. Spannend, zo'n huis in de hoogte. En wat een droom! Een eigen voordeur, drie of vier kamers, tegels in de keuken in plaats van dat eeuwige zeil, en: een douche! Na dat eerste gevoel van weldaad en luxe, omdat je in een dergelijke gerieflijke flat mag wonen, komen al gauw de nadelen. Daar zit je dan tussen die vier muren, met of zonder kleine kinderen. Geen uitzicht op een straat met mensen en verkeer, de kinderen kunnen niet alleen buiten spelen, weinig contact met de buren. Je buren, die hóór je vooral, door de niet goed geïsoleerde muren heen, net als al die andere geluiden: het doortrekken van wc's, het tikken van de verwarmingsbuizen, het geroep op de galerij... en dan komen soms de muren op je af. Een nieuw woord verrijkt de Nederlandse taal: 'flatneurose'.

Anderen treffen het soms beter, die komen in een nieuw huis, met wél een tuintje voor en achter. Eén grote kamer, zonder schuifdeuren, over de hele diepte van het huis. Grote ramen aan beide kanten zorgen ervoor dat de zon bijna altijd binnen kan schijnen. Alweer een nieuw woord: 'doorzonwoning'. Bijna niemand denkt in die tijd aan een huis kopen, want daarvoor moet je je in de schulden steken en dat dóét een fatsoenlijk mens niet, dus zo goed als iedereen huurt en we zijn blijkbaar snel tevreden. Nog steeds geldt het liedje uit de dertiger jaren:

*'Ik heb een huis met een tuintje gehuurd*
*Gelegen in een gezellige buurt*
*En als ik zo naar m'n bloemetjes kijk*
*Voel ik me net als een koning zo rijk'*

Met elf miljoen Nederlanders lijkt ons land overbevolkt en de regering besluit om iedereen te subsidiëren die wil emigreren. Uiteindelijk zullen een half miljoen mensen, meestal jong en net getrouwd, hun geluk beproeven in Canada, Australië of Nieuw-Zeeland, gebieden die dan nog heel dun bevolkt zijn. Bij het afscheid nemen aan de kade wordt er gehuild, heel veel gehuild, want dat afscheid is er meestal een voor de rest van het leven. Een reis naar elkaar is te duur en behalve door middel van brieven is er nauwelijks contact mogelijk. Satellieten zijn er nog niet, dus telefoongesprekken naar de andere kant van de aardbol zijn óf niet mogelijk, óf lopen met tussenverbindingen via veel andere landen, die dan wel heel goed op elkaar moeten aansluiten. Dat levert veel frustratie en stress op. Het kost al een klein vermogen, maar daarnaast word je soms ineens in een vreemde taal toegesproken en vaak wordt je gesprek midden in een zin afgebroken ('Ja mama, want...' piep-piep-piep). Nee, voor je plezier bel je niet naar of vanuit een emigratieland. In tijd van acute nood wordt een telegram gestuurd ('moeder overleden').

Er zijn weinig bejaardenhuizen in deze tijd en als ze er al zijn, zijn ze in onze huidige tijd een gruwel. Slaapzalen, waar de bejaarde een bed en een stoel en één kleine kast heeft, die meteen de afscheiding vormt tussen de bedden. Dat is het. Geen wonder dat kinderen hun ouders dan maar zuchtend in hun eigen huis opnemen. Alleenwonende bejaarden worden wat in de gaten gehouden door buren, bakker en melkman. Ouderen blijven zelfstandig wonen tot het niet meer kan en trekken dan meestal bij een kind in. Vooral op een boerderij kunnen zij het soms nog lang volhouden met permanent helpers in de buurt en een tempo van leven dat nog laag ligt. Daar is ruimte en daar zijn ook voldoende klusjes die oude mensen nog kunnen doen, maar inwonende ouders zijn en blijven voor het jongere gezin natuurlijk vaak een belasting. Er bestaan dan ook veel uitdrukkingen voor zo'n situatie: 'Een moeder kan beter tien kinderen onderhouden, dan tien kinderen één moeder', 'Kinderen groot, ouder was je maar dood', 'Kleine kinderen trappen op je rok, grote kinderen trappen op je hart'.

In die tijd zijn mensen vaak al vroeg 'versleten' door het harde werken én de vaak moeilijke of ongezonde levensomstandigheden. In 1957 wordt de Algemene Ouderdoms Wet (de AOW) door minister-president Willem Drees ingevoerd. Elke Nederlandse burger krijgt vanaf nu recht op een uitkering vanaf 65-jarige leeftijd (naar de levensverwachting van ouderen uit die tijd). Deze sociale wetgeving van 'vadertje Drees' maakt veel los, vooral blijde verbazing en ongeloof. Het biedt ouderen vrijheid en onafhankelijkheid. De standaarduitdrukking is niet: 'Ik heb AOW', maar: 'Ik trek van Drees'.

***Sterk rangen- en standenbewustzijn***
De sociale rangorde is in de vijftiger jaren nog sterk en ieder kent daarin zijn plaats. 'Als je voor een dubbeltje geboren bent, dan word je nooit een kwartje, als je voor een dubbeltje geboren bent, dan word je nooit een stuiver meer...' zong Louis Davids jaren eerder, maar ook in de vijftiger jaren is de tekst nog actueel. De 'dubbeltjes' hebben het niet breed, nog steeds is 'de boterham met tevredenheid', brood met – als je geluk had – wel wat boter of margarine, maar zonder beleg; bij mensen onder aan de ladder een bekend begrip.

De standsverschillen zijn vaak al aan de buitenkant af te lezen: de pakken tegenover de overalls, de hoeden tegenover de petten, de klompen tegenover de schoenen.

Elke man die niet bij de arbeiders- of boerenklasse hoort, draagt een hoed op straat en met die hoed worden hele rituelen uitgevoerd, zoals ik bij mijn eigen vader heb gezien. Ter begroeting alleen even aanraken, óf een stukje optillen, óf helemaal afnemen, was afhankelijk van de status van de persoon die hij tegenkwam. Zoals anderen dat naar hem deden. En zoals er ook een subtiel, maar duidelijk onderscheid was aan wie hij een sigaret, een sigaar of zijn duurste sigaren aanbood. Het aantikken en een sigaret waren bedoeld voor de kennissen die bij de lagere 'witte boorden' (overhemd) en bij 'blauwe boorden' (overall) hoorden. De beste sigaar en het diep afnemen van de hoed werden gereserveerd voor bijvoorbeeld de priesterstand en de driedelige pakken.

Overal zijn de werkverhoudingen sterk hiërarchisch. Ook bij de vrouwen is er een globaal, maar duidelijk onderscheid tussen de hoeden en de hoofddoeken, de 'mevrouwen' en de 'juffrouwen'. Juffrouw is de aanspreektitel voor een onderwijzeres, een jong meisje of een ongehuwde vrouw, maar ook voor elke vrouw die laag op de sociale ladder staat, zoals de werksters, fabrieksarbeidsters of winkelpersoneel. Een werkster kan een moeder van vier kinderen zijn en ouder dan haar werkgeefster, maar zij is en blijft 'juffrouw Maters', die antwoordt met 'mevrouw Evers'. Het huis van juffrouw Maters is krap, heel krap.

Ik sprak eens een dochter uit zo'n arbeidersgezin. Haar kinderen sliepen op strozakken, hun haren werden gewassen met groene zeep en het jurkje van haar dochter werd op zaterdag gewassen, op zondag gestreken en meteen weer aangetrokken, want ze had maar één jurkje. Daar werd dan ook nooit iets 'voor de leuk' gekocht, alleen wat noodzakelijk was.

Op de lagere school spelen de kinderen van alle groepen met elkaar, maar daarna komt de splitsing. Ook de vraag welk onderwijs je kind na de lagere school zal volgen, is grotendeels sociaal bepaald. De leerplicht gaat tot veertien jaar. Veel kinderen gaan op die leeftijd van school af. De kinderen van betere komaf die het kunnen, gaan naar de hbs of het gymnasium; de arbeiders- en boerenkinderen die goed kunnen leren en van wie de ouders genoeg financiële middelen hebben die het mogelijk maken om 'door te leren', gaan naar de mulo. Dat hoeft op zich geen eindpunt te zijn, want het is theoretisch mogelijk om in de avonduren het staatsexamen hbs te halen, een aanvullend examen gymnasium te doen en daarna alsnog naar de universiteit door te stromen. Maar daar begin je dan wel vijf jaar later aan dan via de kortste weg, en al die studie doe je dan meestal in de avonduren, na je werkdag. Begin er maar eens aan!

Bij een trouwpartij van enige stand gaat de bruid in het wit en lang en draagt de bruidegom een jacquet. Zijn bijbehorende handschoenen en 'hoge zijden' worden in de hand gehouden. Alle mannelijke verwanten en vrienden van het bruidspaar gaan eveneens in jacquet. De vrouwen gaan allemaal in het lang. Zo'n jacquet wordt ook bij allerlei andere gelegenheden gedragen (begrafenissen, promoties, recepties).

Soms is het moeilijk om de juiste kledingcode in te schatten. Gaat het bij een begrafenis bijvoorbeeld om directe familieleden en goede vrienden, dan is er geen probleem, evenmin wanneer het gaat om juist vage sociale banden. Maar bij die begrafenis van de buurman twee deuren verder, waarmee je regelmatig een praatje hebt gemaakt: wel of niet in jacquet? Sociaal gezien kan elke keuze een verkeerde zijn.

Bij een begrafenis worden overigens álle aanwezigen in diepzwart verwacht, wat nogal eens tot paniek kan leiden en tot overhaaste aankopen. De dood komt vaak onverwachts en dan past die rok van de vorige keer niet meer, of nu schiet er net een ladder in het enige paar zwarte kousen. En die zwarte jas kán eigenlijk niet meer bij de huidige mode, of hij is te warm, of wat sleets...

Je ziet regelmatig mannen lopen die voor langere tijd een rouwband om de arm dragen, maar dat doen alleen de mannelijke verwanten. Vrouwen tonen rouw na de dood van een gezins- of familielid door gedurende langere tijd zwarte kleren te dragen, of minstens kleding in stemmige donkerblauw- of bruintinten. Feestelijkheden, in welke vorm ook, zijn in een rouwperiode natuurlijk taboe.

In deze jaren zijn niet-blanken nog een grote uitzondering en dus een bezienswaardigheid in het straatbeeld. Er wordt onbedoeld behoorlijk op los gediscrimineerd! We zien wat Indische mensen en een groep Molukkers die 'tijdelijk' naar Nederland komen en we zien soms wel eens Chinezen of een Surinamer, maar dat is het ook wel. Uitlatingen over 'die zwartjes' zijn meestal vriendelijk bedoeld, maar blijken jaren later behoorlijk niet-correct. We zijn oprecht verbijsterd over de gitzwarte Amerikaanse zanger Louis Armstrong of de zangeres Ella Fitzgerald, met wie we voor het eerst kennismaken via de pas gekochte televisie. Die brede mond, met zoveel spierwitte tanden! En die totaal onbekende muziek! Het commentaar is vaak behoorlijk 'fout', hoewel we verbaasd zouden zijn geweest als iemand ons daar toen van beschuldigd had, want we bedoelen toch niets kwaads?

Maar de superioriteitsgevoelens van het witte deel van de wereldbevolking is groot. Het neerbuigende gedrag van Europeanen in hun vele koloniën moet stuitend zijn geweest.

Vooral in de verhalen van 'de missie' komt die neerbuigendheid duidelijk tot uitdrukking. De missie is een heel levend fenomeen in katholiek Nederland in de vijftiger jaren (zoals ook 'de zending' bij de protestanten). Nonnen en priesters steken in grote aantallen de zeeën en oceanen over om hulpeloze heidenen op het rechte pad te helpen. Onveranderlijk zijn in de vele missieverhalen de negerkindertjes lief maar dom, ze praten steeds in een krom taaltje en lopen in hun blootje of in vodden rond. De volwassen zwarte mensen zijn in die verhalen te verdelen in 'slim en hoopgevend' (degenen die vooruit willen, maar dan wel alleen in westerse stijl) en de 'domme mensen', die alsmaar weigeren te begrijpen wat de blanken voor hen in petto hebben en daar soms zelfs vijandig tegenover staan.

Wij, lagereschoolkinderen van katholiek Nederland, krijgen te horen dat we, door zilverpapier te sparen, te bidden op missiezondag en te luisteren naar de missieverhalen kunnen helpen de zielen te redden van deze zwarte mensen in verre landen. En wat zijn we blij als we te horen krijgen hoeveel honderden negerkindertjes nu weer 'het ware geloof' hebben gevonden!

Tegenwoordig zou die westerse houding gewoon keihard racisme genoemd worden.

In de vroege vijftiger jaren komen de stripboeken van Sjors en Sjimmie op de markt. Hoewel beiden hechte vriendjes zijn die gezamenlijke avonturen beleven, is de gelijkwaardigheid in die vriendschap toch vooral schijn. Sjors is het blanke jongetje met een blond pagekapsel; creatief, slim en de natuurlijke leider van de twee. Sjimmie is gitzwart en wordt steevast getekend met dikke rode lippen die zo groot zijn als zijn halve gezicht, met gouden oorringen in de oren en een kaal hoofd, waarop één krulhaar staat. Ook Sjimmie praat weer in een krom taaltje, is dommer en banger dan Sjors en verbergt zich achter hem. Het is waarschijnlijk allemaal niet zo bedoeld, maar de boodschap is duidelijk: het blonde kind is een meester, de ander de knecht. En geen kind of volwassene die daar in die tijd vraagtekens bij zet.

## *Vaders en moeders*

### *De vaders verdienen de kost*

Vaders taak is kort en duidelijk: hij moet de kost verdienen voor vrouw en kinderen. Dat is vaak een zware opgave, maar daarmee zijn de grenzen van een getrouwde man duidelijk omschreven en al zo goed als bereikt. Al het andere is eigenlijk bijzaak. Van de man wordt dus verwacht dat hij hard werkt en over zijn belevenissen en zijn 'mannendingen' verder thuis niet zeurt. Echtgenotes hebben soms dan ook geen idee wat hun man precies doet.

Jongeren stoppen op hun veertiende massaal met studeren. 'Ga maar werken, geld verdienen.' Werkeloosheid bestaat in die tijd niet, althans hoor je er nooit iets over. Iedereen werkt, punt. Een jongen rolt vaak min of meer toevallig in een baan omdat iemand zegt dat hij daar wel geschikt voor is, of omdat er toevallig plaats is, of omdat hij in zijn vaders voetsporen treedt (móét treden). Vaak begint hij of zij met ongeschoold werk waar je geen opleiding voor nodig hebt, die krijg je ter plekke wel. In de loop der jaren kun je dan steeds een treetje hoger komen. Echte carrièrewisselingen komen maar zelden voor. Een klein percentage jongeren studeert door, verreweg de meesten daarvan komen uit de 'gegoede milieus'.

De werkweek bestaat in het begin van de vijftiger jaren uit zes dagen, van een vrije zaterdag is nog geen sprake. Een versje uit die tijd luidt dan ook:

*'Donderdag, oh donderdag, gij schoonste dag der dagen, 's morgens nog een halve week en 's avonds nog slechts twee dagen.'*

Vakanties duren over het algemeen twee weken per jaar, aan het einde van dit decennium zijn dat er drie geworden. Snipperdagen? Nooit van gehoord. Evenmin van atv, onbetaald verlof, VUT, WAO, studiefinanciering of deeltijdbaan. Je werkt door totdat je daarvoor echt te oud of te ziek bent geworden. Geen wonder dat met name een baan in het onderwijs een luilekkerland lijkt: elke week twee vrije middagen, veel vakantieweken per jaar, een vast salaris en als grootste goed: pensioenopbouw, betaald door de staat. Maar ja, veel ouders én jongeren vinden het zonde van die jaren studie waarin je ook al had kunnen gaan verdienen; eerst de middelbare school afmaken en dan nog de beroepsopleiding... je ligt dan qua inkomen al gauw een jaar of zes achter op je leeftijdgenoten.

De man die de hele week hard werkt geniet op zondagochtend, onder het genot van een kop koffie en het stoppen van een pijp, uitgebreid van de zaterdagkrant en daarna van het voetbalverslag op de radio. Of hij gaat zelf naar voetbal kijken, of wijdt zich aan zijn hobby's. Op zondag kunnen ook de wekelijkse uitgaven worden doorgenomen. ('Kun je niet wat zuiniger zijn, vrouw?')

De vaders uit die tijd zijn wezenlijk andere vaders dan die van nu. De afstand naar hun kinderen is veel groter. Je hebt als kind geluk als je bij vader op zijn knie mag zitten, als hij spelletjes met je doet, of met je naar het bos of de speeltuin gaat. Heb je pech, dan is vader de tiran in huis, die gehoorzaamheid eist van de gezinsleden en duidelijk maakt dat hij en niemand anders heer en meester is binnen de muren van het huis, en waar iedereen opgelucht ademhaalt als hij niet thuis is. Maar welke vader dan ook: er is geen man die vrijwillig achter een kinderwagen gaat lopen of een luier verschoont. No way!

Ondanks het feit dat er heel hard gewerkt wordt, met die 48-urige werkweek en weinig vakantie, knappen veel minder dan nu de mensen af op het werk. Het werk is in elk geval vaak overzichtelijk en het opjagen, met het idee 'tijd is geld', komt nauwelijks voor. De meeste mannen zoeken en vinden werk in de buurt. Daarom eten de meeste gezinnen tussen de middag warm en lopen de tijden op alle basisscholen in Nederland van 9 tot 12 en van 2 tot 4 (woensdag- en zaterdagmiddag vrij). Overblijven op school is een onbekend fenomeen. Als een kind echt te ver weg woont, blijft hij of zij intern op school en gaat in de weekends naar huis, óf zit op kostschool en komt alleen in de vakanties thuis.

De man doet meestal een paar zware klussen in huis, zoals de kolenkit vullen en één keer per week de zinken vuilnisbak buiten zetten. Als het 's winters hard vriest, moet die vuilnisbak noodgedwongen ergens binnen staan, anders is de inhoud één vastgevroren klomp en staat hij, na het legen, nog even vol aan de stoeprand.

### *De vrouwen zijn huisvrouw en moeder*

Het beeld dat in vrouwenbladen en in de reclame tot uiting komt, is dat vrouwen toegewijd zijn aan man, kinderen en huis en ook in die volgorde. Vanaf de dag van haar huwelijk verandert er veel in het leven van de vrouw. Ze krijgt automatisch ontslag op haar werk, want ze wordt vanaf nu vooral gezien als de moeder van haar toekomstige kinderen. En moeders werken niet. Waarom ook, haar man verdient immers de kost? Ze wordt vanaf dat moment ook niet langer geacht een zelfstandig, intelligent wezen te zijn. Ze wordt zelfs volgens het Burgerlijk Wetboek 'handelings*on*bekwaam' verklaard. Na elke bruiloft, hoe vrolijk ook, is de vrouw domweg de horige van haar man geworden. De getrouwde vrouw verliest de zeggenschap over haar bezit. Ze heeft juridisch zelfs niets te zeggen over haar kinderen. Ze mag niet bepalen waar ze wil wonen. Afgezien van de boodschappen mag ze niets kopen en geen handtekening zetten zonder toestemming van haar man. Ze gaat nu door het leven als 'de vrouw van' en haar man wordt haar voogd. (Zoals iemand het eens formuleerde: 'De wet wantrouwt in het algemeen kinderen, gekken en getrouwde vrouwen.') Het is nu allemaal moeilijk voorstelbaar, maar zo was toen het huwelijksrecht en op deze basis gaven vrouwen dus hun jawoord! Bij die wet omtrent de handelingsonbekwaamheid van vrouwen ging het niet eens om minachting voor vrouwen, maar men ging gewoon uit van de gedachte dat er één kapitein op een schip moet zijn. Vooral vanuit praktische overwegingen, is dat de man; hij is meestal de oudste én degene die het meeste geld verdient. De norm is: een vrouw moet in haar eigen domein blijven, waarvoor zij 'door haar tedere aard' ook geschikter is. Het domein van keuken, kerk, kinderen.

DE BB WAAKT
ik doe mee

Wanneer de hoeksteen van de samenleving, het gezin, zó nadrukkelijk gepropageerd wordt, is het logisch dat noch veel meisjes, noch hun ouders doorstuderen belangrijk vinden. 'Nee, jij hoeft niet door te leren, je gaat toch trouwen'.

Overigens zijn alle vrouwen die én meerderjarig én ongehuwd zijn gewoon handelingsbekwaam: leraressen, verpleegsters, dienstbodes, artsen. Maar dat is evenmin een aangename situatie, je status in de maatschappij is dan vaak weinig benijdenswaard. Er worden termen voor gebruikt als 'blauwkous', 'oude jongejuffrouw', 'ouwe vrijster'. Haar huwelijkskansen dalen, omdat mannen een intellectuele vrouw bepaald niet altijd waarderen.

Na 1956 wordt de wet veranderd, vanaf nu zijn ook vrouwen handelingsbekwaam.

Ja, daar zit je dan als net-getrouwde vrouw verplicht gelukkig te wezen. Veel andere vrouwen zijn jaloers op je. Sommigen omdat jij al een man hebt gevonden, waardoor je voldoet aan de maatschappelijke norm: trouwen! Werkende vrouwen omdat jij vrij bent om je dag in te delen zoals je wilt. De moeder van vijf kinderen omdat jij nog zoveel tijd voor jezelf hebt. Maar jij bent jaloers omdat die andere groepen tenminste iets zinvols te doen hebben, iets wat hun dag vult. Je probeert nog maar eens een nieuw recept, je maakt een extra lang praatje met een kennis die je bij de groenteboer tegenkomt, je leest het vrouwenblad, waarin staat dat je je man maar niet moet lastigvallen met geklaag of met kleinzielige jaloezie; als hij al eens een misstap begaat en daarna spijt betuigt, moet je hem vooral vergeven, want dan ben jij de moreel sterkere.

En dan: hoera, je bent zwanger. En daarna nog een keer. En nog een keer. En dan is de tijd echt voorbij dat je gewoon wat voor jezelf kunt doen. Grote plichtsbetrachting vanaf nu! Zorgend voor man en kinderen ben je altijd thuis als de andere gezinsleden thuiskomen, want je moet jezelf wegcijferen; eerst man, kinderen en huis, zodat jij zelf op de vierde plaats komt.

'De wereld', dat zijn er voor veel vrouwen twee. De ene is de grote wereld, waar dingen gebeuren waar zij meestal niet veel interesse voor heeft, die ze niet begrijpt of volgt en waarvoor ze haar man nodig heeft om het wereldnieuws uit te leggen ('zijn de Russen goed of slecht?'). De kleine, dat is de wereld van alledag, in en rond het gezin. In díé wereld is de huisvrouw vaak de baas. Ze mag dan handelingsonbekwaam worden geacht, maar in huis is moeder vaak oppermachtig, zowel in sfeer als in budget.

***Een huisvrouw heeft haar handen meer dan vol.***
Aan de was bijvoorbeeld. Elke maandag is het in heel Nederland wasdag. En daar komt nogal wat bij kijken. Bij ons thuis stond nog een wasmachine die zo'n vijftien jaar eerder was gekocht. Een groot, open, houten bakbeest met een zware motor die het water opwarmde en die zorgde voor de langzame slingerbeweging: rechtsom, linksom. Dat was het. De drijfriem was gewoon zichtbaar en de elektriciteit is niet bepaald veilig ('nooit met natte handen aan de stekker komen!'). Na de witte was, de bonte was in hetzelfde waswater en de rest van het sop in emmers en daarmee de stoep schrobben. Blauwsel aan het spoelwater van de witte was toevoegen, zodat die witter

lijkt en stijfselwater in een emmer klaarzetten voor de tafellakens, schorten en overhemden.

In deze jaren wordt steeds vaker een moderne wasmachine aangeschaft. Die kan wassen en spoelen, maar nog niet centrifugeren. Een beginnend echtpaar heeft echter vaak geen geld of/en ook geen ruimte voor een wasmachine. Er zijn wasserettes, maar meestal niet om de hoek. De vrouw kookt dan maar haar was op zondagavond op grote ketels op het fornuis. Alles blijft die nacht in het sop staan weken en op maandag wordt het sop uitgespoeld, de was wordt door de wringer gehaald en ergens te drogen gehangen, desnoods in de slaapkamer. Wasdag, dat róók je vooral!

En dan de volgende dag strijken. Alles. Ook handdoeken, ook slipjes (die in die tijd de naam 'directoire' hebben én verdienen, want het zijn forse kledingstukken!).

Strijken met een elektrisch strijkijzer, dat al vaak wel, maar het ding is loodzwaar. Het apparaat kan aan of uit, zonder regelaar, dus erg oppassen voor een te hete bout: schroeivlekken! De was gladstrijken met een teveel afgekoelde bout lukt uiteraard niet, dus is het nog een hele toer het apparaat op juiste hitte te houden. Die hitte wordt bepaald door het sissen van een paar druppels water op de strijkzool, maar snel een natte vinger erlangs halen, of even erop spugen, werkt ook. Als het maar sist. Veel strijkgoed wordt ingevocht – door er (vanuit een steelpannetje) een paar druppels water met de hand over te verdelen – en stijf opgerold, zodat het vocht gelijkmatig in de vezels trekt; daardoor is het goed kreukvrij te strijken.

Alle vrouwenbladen spreken van de intense trots en tevredenheid van de vlijtige huisvrouw als de hele was weer schoon in de kast ligt. Zal best, maar die trots bestond vooral uit opluchting. Die klus weer geklaard deze week! Is het een wonder dat kinderkleren beslist niet elke dag schoon uit de kast werden gehaald? Dat een paar vegen in je onderbroek nog niet onmiddellijk betekende: trek maar een schone aan? Dat lakens en handdoeken langere tijd achter elkaar gebruikt werden? Dat de huisvrouw haar 'werkkleding', een grote (mouw)schort, van 's morgens vroeg tot 's avonds laat aanhield? Dat je in het straatbeeld veelvuldig overalls zag? Dat tafelzeil zo populair was? Het scheelde allemaal was, op die maandagen...

Wat een vreugde, toen de centrifuge op de markt kwam, wát een praktisch hulpmiddel!

Het gewone schoonhouden van de woning is al een hele klus, maar daarnaast moet er ook nog heel wat geboend en gepoetst worden; het (vele) koper, brons en zilver, dat allemaal 'zo lelijk wordt', schoenen poetsen, de houten meubelen in de was zetten, net als het zeil. De stoep moet geschrobd en de ramen gezeemd...

In heel veel huishoudens hangt in de keuken nog het plankje met de geëmailleerde zand-zeep-soda bakjes, overblijfsel van vorige generaties, die nog niet beschikten over goede schoonmaakproducten. Met die drie kun je bijna het hele huis schoonkrijgen. Zand als schuurmiddel bij aangekoekt vuil, zeep was de groene zeep, te gebruiken bij afwas, vlekken en vuil, en met soda krijg je ook het hardnekkigste vet weg. Maar nu beginnen handige, nieuwe schoonmaakmiddelen op de markt te verschijnen. Lodaline bijvoorbeeld, een synthetisch wasmiddel vervangt het afwassop dat 'geslagen' werd met groene zeep of Sunlight zeep en Vim komt langzaam in de plaats van zand als schuurmiddel.

Voor de 'goede' huisvrouw is er de jaarlijks terugkerende grote schoonmaak in de lente. Stress! (al bestaat dat woord nog niet). In die periode werkt ze zich uit de naad met een rood hoofd, waar een sjaal of theedoek omheen geknoopt zit, om de gepermanente haren te beschermen tegen het overvloedige stof. Vóór Pasen moet alles achter de rug zijn. Alles in huis moet voor die tijd van de plaats zijn geweest, na een lange winter van stoken, kolenstof en weinig luchten. En 'alles' betekent voor sommigen: álles! Elke ruimte in huis wordt onder handen genomen. Tot en met de zolder en de kelder. Alles wat los zit gaat de kamer uit of wordt aan de kant geschoven en dan begint het afstoffen, zwabberen, schrobben, vegen, boenen, poetsen, dweilen, wassen, kloppen, zuigen, schuren, luchten, repareren, verven en witten, om daarna, weer helemaal schoon, alles terug op zijn plaats te dragen. En al die tijd staat het hele huis op zijn kop, want wat uit de ene ruimte komt, moet zolang in een andere gestouwd worden. Tijd om fatsoenlijk te koken is er eigenlijk ook niet, dus binnen de kortste keren loopt het hele gezin gefrustreerd rond.

'Ik ga beginnen' is een tekst waarvan veel huisvrouwen in het voorjaar wel begrijpen waar die ander het over heeft. Hoe kun je in een dergelijke sfeer ooit zeggen: 'Ik niet nee, en dat ben ik ook niet van plan'?

Pasen is ook het moment waarop de winterkleren in kledingkasten worden geruild voor de zomerkleren. Eventueel nieuwe kopen, omdat de kinderen inmiddels uit broeken of schoenen zijn gegroeid. De nieuwe of hervonden zomerkleren worden weer voor het eerst gedragen met Pasen ('op z'n paasbest'), maar dat valt vaak in april en die nieuwe zomerschoenen zijn nog geen gezicht bij wolkbreuken, nachtvorst en twaalf graden. Dus moeten, vooral de vrouwen, bijna elk jaar de keuze maken: toch weer in hun oude kloffie naar de kerk of bibberen en thuisgekomen snel dat oude, warme vest weer aantrekken. Elke keuze betekent automatisch meesmuilende blikken van degenen die de ándere keuze hadden gemaakt en in de vijftiger jaren is dat nog erg.

Dan zijn er de maaltijden die de huisvrouw heeft te bereiden. Zo weinig mogelijk uit pak, pot of blik (andere kant-en-klare producten zijn niet te koop), want dat doet een zuinige huisvrouw niet graag. Bij de meeste mensen komen twee gangen op tafel: zelfgemaakte soep en hoofdgerecht, of hoofdgerecht en zelfgemaakte pudding. Vaak ook op hetzelfde bord, want de gezinnen zijn groot en de afwas dus ook. 's Zondags zijn er dan drie gangen. Veel werk dus weer, maar daar staat tegenover dat ze niet hard hoeft na te denken over het menu, want dat staat vaak wel vast. Het wordt, met enige variatie, gewoon elke week herhaald. In heel Nederland gelden overal zo ongeveer dezelfde standaardmenu's van 'de Hollandse pot'. Een voorbeeld: op maandag bruine bonen met bloedworst of rolpens, op dinsdag rode kool met hachee, op woensdag gehaktbal met andijvie, donderdags hamlapjes of runderstoofvlees met spinazie of erwtjes, vrijdags vis met worteltjes of bietjes, zaterdags verse worst met boontjes en op zondag een karbonaadje of rollade met bloemkool. *Als* er tenminste zo vaak vlees op tafel komt. Vegetariërs? Nog nooit van gehoord; wanneer geen vlees wordt gegeten, heeft dat uitsluitend te maken met krappe financiën. Alles wordt lang gestoofd, gekookt en gebakken, want daar houden we wel van. 's Morgens komt op nog veel plaatsen (havermout)pap op tafel: een stevige basis voor het vaak zware lichamelijke werk. Als men al 's middags overblijft op het werk gaan een aantal kloeke boterhammen mee in een trommel, samen met een metalen fles koffie of thee. Als er al een extraatje is, dan bestaat dat uit niet veel meer dan een appel of een plak ontbijtkoek.

Met mes en vork eten doet 'de onderste helft' van de Nederlanders nog nauwelijks, dus als alles dooreen gehusseld en het vlees alvast kleingesneden is, kun je de warme maaltijd ook met alleen een vork te lijf.

Wanneer het voedsel in grote hoeveelheden beschikbaar en dus goedkoop is, koopt een zuinige huisvrouw het in grote hoeveelheden in en gaat wecken. Kisten vol appels worden verwerkt tot appelmoes, die in glazen potten wordt verhit en vacuüm afgesloten. Zo gaat het ook met kersen, pruimen, boontjes, rode kool en heel veel andere zaken. De koelkast is iets dat vooralsnog alleen in sprookjesland Amerika bestaat.

Er is altijd een nuttig werkje te verrichten. Wil de huisvrouw wel eens even zitten en uitrusten, dan moet ze toch eigenlijk wel doende zijn met naald en draad, met haakpennen of breinaalden. Als nieuwe breiwol wordt gebruikt, kan de breister vaak niet zomaar beginnen. De wol wordt in lange gedraaide lussen verkocht, die eerst om de armen van iemand worden gelegd (meestal kind of man, soms ook een rugleuning van een stoel), waarna moeder die afwikkelt en er bollen van draait. De frustraties van het kind: 'Ik wil nu niet!' Moeder: 'Jawel, moet!' en het soms eindeloze gehannes om het begin in de streng wol te vinden en daarna, bijna niet te voorkomen, de draad afwikkelen die alsmaar verward raakt. Om vervolgens weer ijverig verder te breien. Dassen, mutsen, handschoenen, sokken, vesten, truien. De wol van een te kleine trui wordt uitgehaald en daar wordt weer iets anders van gebreid. Een borstrok bijvoorbeeld. Soms bestaat die zelfs uit meerdere soorten wol, want die zit toch onder de kleren en niemand die er iets van ziet. Ook in de gymles niet, want gymen gebeurt gewoon in de kleren die je die dag aanhebt. Fris rook het toch al niet, in die scholen. Haken geldt meer als ontspanning, want is vooral versierend: tafel- en stoelkleedjes, die de kwetsbare plekken moeten beschermen, pannenlappen, poppenjurkjes, een hesje, randen langs zakdoekjes...

De gaten in de wollen sokken worden gestopt, het ondergoed versteld en een gat in trui of vest wordt gemaasd (plaatselijk 'breien', maar dan met naald en draad). Van overhemden kunnen de manchetten en boorden worden gekeerd, als de rest nog goed is. Daarnaast wordt van alles geborduurd: kussens, lakens, tafellakens, schorten, jurkjes. Of geknoopt: een dik tapijt van smyrnawol is een meerjarenproject voor het hele gezin.

Omdat bijna niemand nog tv heeft, kan de huisvrouw al dat verstel-, naai-, haak- en breiwerk mooi 's avonds bij de radio doen. Want 'ledigheid is des duivels oorkussen' en 'een paardentand en een vrouwenhand staan nooit stil'.

Soms is het nog gebruikelijk dat de linnen-uitzet, die door het meisje wordt ingebracht bij haar huwelijk, door haarzelf is gemaakt, of minstens is versierd met siersteken en borduursel. Twaalf, bij sommigen zelfs achttien of vierentwintig stuks van elk: van handdoek tot servet, van laken tot washandje, van nachthemd tot 'lijfgoed'. Het is dan ook bedoeld voor een lang huwelijk en soms geeft God veel kinderen! Vooral in het arbeidersmilieu is het zelfs tot diep in de zestiger jaren gebruikelijk dat meisjes al rond hun dertiende, veertiende jaar beginnen te sparen en te borduren voor hun uitzet. Linnengoed en bestek hoeven al niet meer met achttien of vierentwintig stuks tegelijk worden aangeschaft, maar negen of twaalf is toch nog steeds wel de norm. En eenmaal verloofd (door trouwbelofte al soms jaren tevoren verbonden), worden ook de meubels soms alvast aangeschaft en opgeslagen. Als het huis er dan is, hoeft alles alleen nog maar op de plaats te worden gezet.

### *Huiselijk leven*

Het gezin is in die tijd werkelijk een hoeksteen. Naast al het harde werken staat huiselijke gezelligheid hoog in het vaandel (of het werkelijk zo gezellig was als foto's uit die tijd willen bewijzen, valt te betwijfelen). Het hele gezin komt 's avonds bijeen om krant of boek te lezen, te knutselen, huiswerk te maken en te handwerken. Er wordt naar de radio geluisterd, gezongen en er worden spelletjes gedaan, ruzie gemaakt. De grote lamp boven de eettafel is het enige belangrijke lichtpunt, dus daar verzamelt het gezin zich. Wel gaan nu aparte lees- en schemerlampen verschijnen, waardoor een eigen hoekje ontstaat, bijvoorbeeld voor vader. Bijna niemand zit op zijn eigen kamer. Die kamer is alleen om te slapen en om het speelgoed in op te bergen, niet om je erin terug te trekken. Veel te koud. Trouwens: daar is ook vaak geen ruimte, omdat maar heel weinig kinderen een eigen kamer hebben; veelal wordt die gedeeld met broers en zussen.

Op zaterdagavond, bij de spelletjes, komt een zak doppinda's op tafel en een glas aanmaaklimonade, hoogtepunt van huiselijkheid. Ook de radio is een belangrijk centraal punt, onveranderlijk een groot bakelieten toestel met een stoffen voorkant, lampen achterin, en een groen zoekersoog; elke zender moet met de hand worden opgezocht.

Vader, moeder, kinderen, ze hebben wekelijks allemaal hun eigen programma's. Voetbalprogramma's, Mr. G.B.J. Hiltermann die op zondagmiddag de toestand in de wereld uitlegt, *Kleutertje luister*, *Moeders wil is wet*, *De Groenteman*, *Negen heit de klok*, *De familie Doorsnee*, *De Bonte Dinsdagavondtrein* en daarnaast heel veel hoorspelen voor alle doelgroepen. Aan het eind van het decennium komen de eerste, veel kleinere én draagbare transistorradio's op de markt.

Op zondagen gaan we er met z'n allen opuit. Wandelen bijvoorbeeld. Niet ver, maar met de zondagse kleren aan met het gezin het park in, of juist in oude kleren naar het bos of een zandkuil. Leuk is ook om naar de eerste grote autowegen te rijden, daar te gaan picknicken en naar de langsrijdende auto's te kijken. Het woord 'bermtoerisme' wordt een begrip. Picknicken is trouwens een wat weidse titel, want veel meer dan een boterham met kaas en koffie of limonade is het niet, maar toch, het voelt feestelijk.

Of we gaan bij elkaar op visite. Zo'n bezoek wordt zelden van tevoren aangekondigd; weinig mensen hebben telefoon en bijna iedereen is 's zondags toch wel thuis. De ouders overleggen waar ze al een poosje niet geweest zijn, het gezin stapt in de auto of op de fiets en... verrassing! Die anderen roepen, soms gemeend, soms minder gemeend: 'Gezéllig! Kom erin!' Vaak betreft het familieleden op het platteland, want bijna iederéén heeft wel familie op het platteland, in het dan nog zo agrarische Nederland. Voor stadskinderen is dat overigens een feest. Een spannende stal met varkens en koeien, een schuur met onbekende apparaten en werktuigen, een hooiberg, schuwe poezen, valse honden, kippen en konijnen, een moestuin met rijpe bessen, een boomgaard met appels, pruimen en kersen. En altijd wel andere kinderen om mee op avontuur te gaan.

Een grote uitspatting is de net geopende Efteling, met dan nog alleen het Sprookjesbos, maar oh, wat is dat al prachtig! Echt reizen is er verder nauwelijks bij. Veel te duur. Een reisje langs de Rijn is al chique en avontuurlijk.

De saamhorigheid is groot en het verenigingsleven bloeit, ook bij de jeugd. Mensen zijn massaal lid van muziek-, zang-, toneel-, wandelverenigingen, de padvinderij... keus genoeg. Culturele uitjes en sport zijn nog niet erg populair.

Verjaardagen worden gevierd met familie (die overigens heel groot kan zijn!) en een enkele buur of vriend. Zelden word je expliciet uitgenodigd, iedereen weet wel tot welke 'inner circle' hij/zij gerekend wordt. Vroeg in de avond beginnen, want morgen is het weer vroeg dag. De visite wordt meestal verdeeld in een 'vrouwenhelft' en een 'mannenhelft', want beide groepen praten zo over hun eigen onderwerpen; de mannen veelal over voetbal, de vrouwen over huishoudelijke zaken en roddels.

Op tafel worden – meestal door de kinderen – vast sigaretten gastvrij in een bekertje klaargezet; filtersigaretten met mentholsmaak voor de vrouwen en een gangbare andere soort voor de mannen.

Een jarige man wordt bedolven onder dozen 'mooie' sigaren of een fles jenever. Vaak rookte mijn zuinige vader die sigaren niet eens, maar zette ze bij een volgende gelegenheid weer in als cadeau. Zo'n doos kon gemakkelijk een keer of vier rouleren voordat hij werd opengemaakt. Jarige vrouwen krijgen een doos bonbons, een grote plak chocolade of een doos dameszakdoekjes, die meestal hetzelfde lot beschoren zijn als de sigaren, ze worden weer doorgegeven. Het is dan natuurlijk wel belangrijk om te onthouden van wie je wát hebt gekregen, zodat de gever niet zijn of haar eigen cadeau retour krijgt!

Er wordt heel veel gerookt in die dagen, zowel sigaren als sigaretten. 'Rook je al?' wordt aan een dertienjarige gevraagd die een sigaret krijgt voorgehouden, want 'het is geen man, die niet roken kan' en 'een tevreden roker is geen onruststoker'. Vrouwen die roken zijn een uitzondering, daar hangt toch een zweem van ordinair-zijn omheen.

Na de koffie met gebak drinken de mannen een oude of jonge jenever of cognac. De vrouwen drinken eveneens alcohol, maar dan een zoete variant: citroentje met suiker, bessenjenever, advocaat... Voor de alcoholvrijen, die er overigens weinig zijn, is er sinas of vruchtenbowl.

De hele avond blijven de zoute pinda's op tafel staan. Ieder huisgezin heeft wel een pindastelletje, een onmisbaar onderdeel van elke uitzet (een grote bak voor de zoute pinda's, een bijbehorende lepel, en zes, negen, of twaalf kleine eenpersoonsbakjes). Daarnaast zijn er plakjes leverworst en metworst, blokjes kaas, versierd met een zilveruitje, een stukje augurk, een likje ketchup of mayonaise. Er zijn toastjes met plakjes gekookt ei, ham, smeerleverworst, of zalm uit blik. Halve gekookte eieren, eveneens versierd met ketchup en/of mayonaise. Als de vrouw des huizes meer kan, zijn de eieren gevuld, of is er een haring- of eiersalade. Vóór het naar huis gaan komt er meestal nog iets hartigs: koffie met een broodje, een slaatje, stukjes warme braadworst. 'Niet achter het stuur na alcoholgebruik' is nog geen issue. Men weet wel dat alcohol in het verkeer eigenlijk niet moet, maar er zijn nog niet veel auto's op de weg en 's avonds na tien uur is het stil op straat.

Voor de kinderen is het net zo goed feest. Voor ieder een gebakje (wel 15 of 20 cent per stuk!), een kogelrond flesje echte sinas en een paar van die lekkere toastjes met ei. Op andere dagen krijgen we af en toe ranja, of gazeuse van Exota, een drank in felle kleuren, die voornamelijk bestaat uit water, kleurstof, suiker en vooral héél veel koolzuur.

### *Godsdienst en verzuiling*

De samenleving blijft – net als voor de oorlog – verdeeld in vier gescheiden, min of meer naast elkaar levende groepen: de 'zuilen'. Katholieken, protestanten, socialisten en liberalen. De verzuiling dringt door tot in de verste hoeken van de maatschappij. Iedere zuil heeft zijn eigen scholen, kranten, politieke partij en omroep. Zelfs je vrije tijd hoor je door te brengen met mensen van je eigen overtuiging. Ben je protestant en wil je bij een sportclub, een dansschool, muziek- of toneelvereniging, dan moet dat wel een protestante sportclub zijn, enzovoort. Dat gaat ver, zelfs de keuze van slager, kledingwinkel en bakker heeft ermee te maken. Binnen een dergelijke 'zuil' bestaat een grote mate van saamhorigheid; een specifiek wij-gevoel, dat de verschillende (geloofs)richtingen hun leden bieden.

God is voor protestanten en katholieken in deze jaren nog overal en zeer nadrukkelijk aanwezig. De kerk heeft een stevige greep op het leven van elke katholiek en protestant. (Van andere religies kennen we wel de naam, maar ze spelen verder geen rol van betekenis.) De gezinnen zijn groot en dat is ook de wil van God. Grote gezinnen worden gezien als goede katholieke of protestantse gezinnen. Zij versterken met hun kindertal immers de kerk. Gezinnen met acht, tien, dertien kinderen zijn weliswaar groot, maar zijn zeker geen uitzondering. Ik ken iemand die zelfs uit een gezin van achttien kinderen komt, maar dan wel van twee moeders.

Seksualiteit beleef je eigenlijk niet voor je lol en al helemaal niet *uitsluitend* voor je lol. In de Bijbel staat immers: 'Gaat heen en vermenigvuldigt u' en dat laatste hoort nogal letterlijk te worden opgevat, vinden de kerkleiders. Zo letterlijk, dat het in die jaren nog regelmatig voorkomt dat meneer pastoor een poosje na de geboorte van het jongste kind komt informeren of er al weer een onderweg is? Nadat hij zijn glaasje jenever heeft gedronken en zijn 'dure sigaar' heeft gerookt, neemt hij weer afscheid; hij heeft zijn herdersplicht gedaan. Natuurlijk worden er grappen gemaakt over dit soort bezoekjes, om de boosheid erover te maskeren. Beide partijen moeten zich toch behoorlijk opgelaten hebben gevoeld en het is vanuit deze tijd gezien een gotspe dat de kerk zó diep durfde binnendringen in de intieme sfeer van een huwelijk.

Voor het eerste halfuur van elke schooldag staat godsdienstles op het rooster. We horen elk schooljaar de Bijbelse verhalen voorbij komen en leren braaf de catechismus. Veel vragen, met evenzovele antwoorden. 'Wie is God?' 'God is onze Vader, die in de hemel woont.' 'Waartoe zijn wij op aarde?' 'Wij zijn op aarde om God te dienen en daardoor hier en hiernamaals gelukkig te zijn'. We leren de kerkelijke feestdagen en hoe de verschillende kledingstukken van de priester aan het altaar heten, zoals superplie, stool en kazuifel. We luisteren naar heiligenverhalen, weten hoe je hoort te biechten en hoe je eerbiedig de heilige mis moet bijwonen. Wanneer een priester voorbij fietst met één hand op harthoogte in zijn soutane (zijn 'jurk'), weet iedere katholiek dat hij met een gewijde hostie op weg is naar een zieke of stervende; de kerk ziet graag dat je dan op straat knielt, want Jezus zelf komt immers voorbij.

Elke ochtend is er een speciale kindermis in de kerk. Het is een gewone mis, maar aan de ouders wordt gevraagd hun kinderen daarheen te sturen, voordat ze ontbijten en naar school gaan. Voor die kindermis staat er een non bij de ingang, die een knip geeft in een tien-knippenkaart. Bij een volle kaart krijgen we een heiligenplaatje. Een kinderhand laat zich nog snel vullen, marketing avant la lettre.

We kunnen in die tijd nog alleen ter communie als we 'nuchter' zijn gebleven. Ook water mag niet. (Daarom zijn er nog geen avondmissen, want de communie is voor de gelovigen het hoogtepunt van de Heilige Mis.)

We gaan ook een paar keer per jaar klassikaal naar de kerk om te biechten. De biecht is gebaseerd op de woorden van de apostel Johannes: 'Belijden we onze zonden, dan zal Hij, die trouw en rechtvaardig is, ons onze zonden vergeven en ons reinigen van alle kwaad'. De priester heeft de macht om in Christus' naam de zonden te vergeven. Dat biechten begint al in de eerste klas (groep 3), als voorbereiding op de Eerste Heilige Communie. Maar wat heb je als kind te biechten? Het klassieke rijtje dus maar van elke leeftijdgenoot: ik heb gejokt, stiekem gesnoept, ben ongehoorzaam geweest en brutaal... God, wat moeten die uren voor pastoors, kapelaans en parochiepriesters een blarentrekkende opgave zijn geweest! Elke katholiek heeft overigens de plicht om minstens één keer per jaar te biechten en zo schoon schip te maken in zijn ziel. Sommigen biechten die ene keer per jaar, anderen elke week. Voor hoogtijdagen als Kerstmis en Pasen zitten de priesters soms wel een week lang zes uren per dag in dat biechthokje. Vooral voor Pasen loopt het dan ook storm bij de biechthokjes en is het parool: achter aansluiten! Lang wachten op je beurt en met een zucht van verlichting uiteindelijk de door de priester opgelegde gebeden afwerken, om dan, met een reine ziel, opgelucht weer naar huis te gaan. Je bent weer even helemaal kind van God, tot de volgende kleine of grote zonde. Biechten is zoiets als boodschappen doen of afwassen: vervelend, maar niet aan te ontkomen.

In de katholieke kerk wordt heel wat gevierd; katholieken worden flink bezig gehouden. Kerkelijke feestdagen bepalen het jaarritme. Behalve die talloze kerkelijke feesten en vieringen die vaststaan, zijn er nogal wat andere, eenmalige gebeurtenissen. Er worden gestorvenen zalig en heilig verklaard, bedevaarten ondernomen, kinderfeesten in de parochie georganiseerd en er worden processies gehouden; tussen mijn vierde en tiende jaar loop ik heel wat keren als 'bruidje' daarin mee als er weer een kerkelijke feestdag is. Of wanneer bijvoorbeeld een oud-parochiaan tot priester is gewijd en hij zijn eerste mis in de parochie opdraagt. Nonnen regisseren de tientallen nerveus-drukke kinderen: 'Stil staan, niet praten en dadelijk netjes in de rij blijven'. De bruidjes lopen vóór 'de maagden', de al wat oudere meisjes, die met palmtakken mogen zwaaien. Dan de misdienaars, de priesters en ten slotte de gewone gelovigen. Het duurt vooral allemaal zo lang, het wachten, lopen, stilstaan... Maar dan is er wél voor ieder een snoepje aan het eind.

De kerk, altijd op zoek naar groeicijfers, probeert actief priesters te werven. Bij een goed katholiek gezin met een paar jongens die misdienaar zijn en die goed kunnen leren, komt meneer pastoor wel een keer langs met de vraag of het seminarie, de priesteropleiding, niet een goede gedachte zou kunnen zijn.

Diezelfde pastoor, net als de dominee trouwens, is er ook als de kippen bij om een katholieke ziel te redden wanneer een katholiek meisje verkering krijgt met een protestante jongen of omgekeerd. Hel en verdoemenis dreigen, want inderdaad: 'twee geloven op één kussen, daar slaapt de duivel tussen'. Dat wordt ook bijna letterlijk zo opgevat; dat kan nooit goed gaan. Zo'n huwelijk wordt dan ook niet kerkelijk ingezegend, ook niet door de andere partij. Dispensatie, de kerkelijke goedkeuring, kan in sommige gevallen gegeven worden als de 'heidense' partner belooft niets in de weg te zullen leggen bij het vervullen van de katholieke plichten van de partner én belooft dat de eventuele kinderen in het katholieke geloof zullen worden opgevoed.

Tot in het kerkgebouw zelf wordt gewaakt over de zedelijkheid van de 'beminde gelovigen'. Vooral in de dorpen zitten de seksen nog lang gescheiden: de mannen links, de vrouwen rechts, of omgekeerd. De mannen moeten hun hoofd ontbloten bij het binnentreden van de kerk, de vrouwen moeten juist hun haren bedekken met een hoed of een hoofddoek (nee, inderdaad, niets nieuws onder de zon).

Kerkbanken worden vaak verhuurd, vooral ook weer in de dorpen. Elk gezin in de parochie kan vaste plaatsen huren, dus zitten de rijken vooraan, waar de bedragen het hoogst zijn. Dat betekent wel dat gezinnen op zondag vaak gescheiden naar de kerk gaan, omdat er te weinig huurplaatsen zijn voor alle gezinsleden. Sommigen van hen gaan naar de vroegmis (duurt kort), anderen naar de 'gewone' mis en weer anderen naar de hoogmis, waar met wierook wordt gezwaaid en Latijnse gezangen gezongen (duurt lang). Met name die hoogmis valt niet mee, want die begint pas om tien uur of half elf. Tot na afloop daarvan ben je dan nog steeds 'nuchter'; zelfs geen slokje water om je pillen door te slikken is geoorloofd. Die pillen zelf eigenlijk ook niet.

De kerken zitten 's zondags steeds heel vol en iedere zondag is er 's middags nog het lof. Dan wordt de rozenkrans (rozenhoedje) gebeden, een stichtelijk woord gesproken en liederen gezongen. Het lof heeft een andere sfeer dan de Heilige Mis, meer intiem.

Ja, het geloof neemt nog een grote plaats in. Het warenhuis V&D heeft in haar vestigingen een hoek gereserveerd waar rozenkransen, missalen, kruisbeelden en heiligenbeelden te koop zijn, maar ook wijwaterbakjes, devote kaarsen, plaatjes van heiligen, kerststallen, gelegenheidsplaatjes ('gefeliciteerd met je Eerste Heilige Communie') en zelfs kerkelijke gewaden in kindermaten, zodat jongens 'priestertje' kunnen spelen.

In 1953 wordt het mandement van de bisschoppen verspreid. De katholieke kerk voelt zich kennelijk bedreigd door de groeiende stroom liberalen en communisten, en, zoals vanouds, de protestanten. De geestelijkheid raakt steeds meer bezorgd over de vele verlokkingen van de duivel. Daarom dat mandement, waarin nog eens duidelijk wordt gesteld wat wel en wat niet 'goed katholiek' is. Daarna luisteren veel katholieken niet meer naar de VARA, want die blijkt links, socialistisch en slecht, want erg goddeloos te zijn! Maar ook de VPRO deugt niet, want die is protestants. De AVRO mag eigenlijk ook niet, want die is 'niks'. Tja, en dan blijft alleen de KRO over. Dat is nog een hele uitzoekerij in de radiogids.

***Kinder- en schoolleven***

In een jeugdserie op tv zag ik eens hoe een meisje om geld bedelt bij haar ouders. Die vinden dat ze daar dan maar wat kleine klusjes voor moet doen. Ze zegt: 'Maar ik vind dat zo vernéderend!' Het gaf mij een gevoel van 'ik word echt oud'. In de vijftiger jaren werd kinderhulp overal gewoon ingezet. Ik deed nogal wat klussen in de huishouding, zoals al mijn leeftijdgenoten: ik waste af, deed de boodschappen, moest de eenvoudige stukken van de was strijken, sopte de deuren en waste en poetste de auto. Niks beloning! Ik was een gunstige uitzondering; zeker in grote gezinnen draaiden de kinderen volop mee in het huishouden van elke dag. In de latere tijd, die ik al niet meer meemaakte, werd in grote dankbaarheid een dubbeltje of zelfs een kwartje geïncasseerd voor een klus. Maar dat het zelfs als vernéderend kan worden gezien om tegen betaling iets in huis te doen, is nieuw voor me!

Om kinderen op te voeden zijn in de jaren vijftig de regels duidelijk en simpel en laten zich samenvatten in de drie beroemde woorden: rust, reinheid en regelmaat. Voor kinderen is het vertrouwen in de mensheid groot. Volwassenen zijn machtige wezens, lastige wezens ook, maar hebben zelden echt kwaad in de zin. Hoewel? We krijgen ook dan al wel nadrukkelijk en herhaaldelijk te horen nooit met een vreemde mevrouw of meneer mee te gaan, ook niet als ze snoepjes uitdelen of erg aardig tegen ons doen. Het waarom daarvan wordt niet verteld.

Kinderen spelen heel veel buiten. Geen wonder: kleine huizen, grote gezinnen en binnen is nog niet veel speelgoed dat de kinderziel echt uitdaagt, dus moeder stuurt haar kroost graag een poosje weg en dat kroost wil ook wel weg; thuis zitten betekent bijna onvermijdelijk dat je binnen een half uur met een boodschap of klusje zit opgescheept.

Er zijn buiten talloze spelletjes te doen en die hebben soms ook vaste tijden. Niemand begrijpt eigenlijk ook hoe dat proces werkt. Van de ene dag op de andere is het knikkertijd en loopt iedereen met een knikkerzak rond. Wekenlang. Elke kuil of richel die als 'pot' kan dienen wordt bezet. Maar enkele weken later is dat plotseling voorbij, knikkeren kán gewoon niet meer! Dan zijn we met z'n allen ineens een paar weken aan het tollen. Zo gaan we ook een tijdlang met ballen aan de gang: spelletjes met grote en kleine ballen bestaan in overvloed. Of we gaan hinkelen. Maar er zijn ook spelletjes die altíjd kunnen: rolschaatsen bijvoorbeeld, liefst op de nog sporadische stukjes asfalt, landverovertje, bokspringen en veel andere.

In 1957 wordt in Amerika de hoelahoep uitgevonden, een spel dat gaat om het draaien van een ring rond de taille. De rage waait al snel over naar Nederland. In de herfst speuren we naar kastanjebomen. Kastanjes ('ik heb er een!') zijn een heuse schat, niet één blijft langer dan een minuut liggen. Eikels zijn weliswaar tweede keus, maar ook die worden meteen opgeraapt. En ieder kind spaart en ruilt van alles: voetbalplaatjes, sigarenbandjes, postzegels, bierviltjes, lucifermerken, speldjes, kroonkurken, heiligenplaatjes…

In de winter worden lange en spiegelgladde glijbanen gemaakt; een aanloop, een schuiver en dan overeind zien te blijven. Honderden voeten slijpen de tot ijs geperste sneeuwlaag steeds opnieuw, tot de glijbaan spiegelglad is. Schoenen hebben altijd leren zolen, dus iedereen kan meedoen. (Een decennium later is het afgelopen, want met rubberzolen kun je niet glijden op sneeuw.) Ouders zijn er trouwens helemaal niet blij mee, die kwetsbare zolen slijten nu nog sneller. Om dat snelle slijten tegen te gaan, vooral aan de hakken, slaat vader of de schoenmaker ijzertjes op de rand van tenen of hakken. Heb je zulke ijzertjes, pech gehad, dan kun je niet meedoen op de glijbaan, want die trekken de glijbaan kapot. Zo'n baan kan trouwens binnen een uur al onbruikbaar zijn geworden, wanneer het een beetje gaat dooien bijvoorbeeld, of, omgekeerd, als het juist nog harder gaat vriezen. Maar als er nog een dun laagje sneeuw op valt, is dat juist ideaal, dan wordt de baan nog gladder.

Na een sneeuwbui zit elke helling onmiddellijk stampvol kinderen met sleeën en verrijzen sneeuwpoppen, net als sneeuwhutten.

PEREBOOM'S VAKSCHOOL
VOOR
COUPEURS en COUPEUSES

MEER WONINGEN!

***School***

Kinderen hebben in de wereld van de volwassenen weinig status. Aanpassen aan de wensen van de volwassenen en verder: 'kan-niet ligt op het kerkhof en wil-niet ligt ernaast!'. Gehoorzaamheid en beleefdheid worden hoog gewaardeerd. Voor onderhandelen, voor begrip van de kinderziel, zelfs maar voor uitleg, is weinig ruimte. School is een instituut om te leren, punt. Er wordt weliswaar niet meer geslagen, maar wel gestraft en gemopperd. Zelden wordt een waardering uitgesproken, 'daar raken ze maar verwend van'. Eén boze blik of opmerking van de juf volstaat vaak om de orde te handhaven. Het schooljaar bevat nauwelijks hoogtepunten; alleen december is een uitzondering met de sinterklaas- en kersttijd.

Het kinderleven draait dan ook om school. Schoolzwemmen, schoolmelk, schoolsparen, schoolmis, schoolarts, schooltandarts en de jaarlijkse tbc-prik op school. Een onderwijzer(es) staat in aanzien, dat is iemand.

Leerlingen zitten soms met veertig of zelfs meer in banken achter elkaar, want samenwerken en praten is uit den boze. Individuele acties zijn maar verdacht, dus álles wordt klassikaal gedaan. Nooit iets in je eigen tempo en steeds wachten op de traagsten.

Er wordt over onze zedigheid gewaakt en een vrouw is een vrouw, ook als ze nog klein is. Daarom in de zomer op school komen met mouwtjes die tot minstens halverwege de bovenarmen reiken. Korter? Naar huis en iets anders aan gaan trekken! Op de middelbare school, als kinderen in een strenge winter van ver weg aan komen fietsen, dragen ze een lange broek en dat mag, als daar tenminste een rok overheen gedragen wordt! Christelijke scholen houden jongens en meisjes graag gescheiden, tenzij een (dorps)school te klein is om die splitsing te maken. Op meisjesscholen staan uitsluitend vrouwen voor de klas en bij de jongens een man, behalve in de eerste en tweede klas (omdat mannen zich te onthand voelen om bij zulke dreumesen te werken?)

Net zoals thuis is ook op school zuinigheid een belangrijke deugd. Letterlijk alles wordt gebruikt en hergebruikt. Van staaltjes uit behangpapierboeken worden kaften voor boekjes gemaakt, waar de kleuters hun werkjes in plakken. Inktlappen, om de (kroontjes)pen aan droog te vegen, worden thuis gemaakt van lapjes katoen van een oude blouse of schort en bijeen gehouden met een knoop erop genaaid. Pennen en potloden krijg je van school en die moeten een tijd mee kunnen gaan. Te hard drukken op de pen betekent: een omgebogen punt, een nieuwe pen, maar eerst vooral luid gemopper van de juf. Potloden zijn allang afgekloven korte stompjes, voordat je een nieuw krijgt. Om te voorkomen dat die potloden te snel opraken, slijpt de juf je potlood pas scherp als de punt tot een dikke ronding is afgesleten en ook een gebroken punt leidt steevast tot gemopper. Reken- en taalschriftjes die vol zijn, worden aan het eind nog een weekje langer gebruikt door in kantlijnen en op open stukjes nog wat sommen of dictee te maken. Ook dan is het schriftjes-leven nog niet ten einde. Het kaft, standaard uitgevoerd in een vaalgroene of een vaalblauwe kleur, wordt tot repen geknipt en die worden dan weer als verplichte regel-aanwijzer gebruikt bij het lezen, zodat de juffrouw in één oogopslag kan zien of iedereen meedoet tijdens het klassikaal lezen.

Zo'n reepje dik papier vrááġt natuurlijk om eraan te prutsen, te vouwen en te scheuren, maar er bestaat een vaste tijd hoelang we ermee moeten doen; er zijn kinderen die uiteindelijk meelezen met een vodje van precies hun vingertop groot. De rest is in de poel van verveling verdwenen. Sinterklaas vieren op school betekent dat sint ons elk jaar verrast met nieuwe potloden en schriften voor de kinderen en voor de juf nieuwe bordborstels en krijt. Daarna wordt ook nog wel wat snoepgoed in het rond gestrooid. Tjonge, dank u sinterklaasje! (Thuis ligt op 5 december een rijtje sinterklaascadeautjes achter de schoen, waarvan een doos kleurpotloden het hoogtepunt vormt.)

Rapporten zijn de belangrijkste momenten in het schooljaar. Goed leren is heel belangrijk en we leren ook. Vooral heel veel uit het hoofd. De catechismus, onze (ex)koloniën Indonesië, Suriname, de Antillen en Nieuw-Guinea, de veldslagen van Napoleon, het Wilhelmus. Ook de Nederlandse bedrijvigheid, welke en waar, kennen we uit ons hoofd; de veenkoloniën, visserij, gemengd bedrijf, katoen- en schoenindustrie, kolenmijnen en aardappelmeelfabrieken, want die bestaan allemaal nog. Mét de welvaartsstijging gaan nu meer kinderen doorleren. 'Naar een hogere school', zoals veel ouders het noemen (als vergelijking met de lagere school).

Leren is op zich niet leuk nee, dus als het wél leuk was, kon het geen leren zijn! Wanneer in de vijftiger jaren de eerste ballonstrips (stripverhaal met tekstballonnetjes) worden uitgegeven van Sjors en Sjimmie, Kuifje, Donald Duck, Suske en Wiske, worden die door de volwassenen onmiddellijk in de ban gedaan. Die 'rommel' maakt kinderen maar tot luie lezers, dus niet mee naar school brengen en in geen enkele bibliotheek te vinden. Verwerpelijk voor de kinderziel. Maar wat we in de huidige tijd juist afkeurenswaardig zouden vinden, wordt door school en leerlingen juist als een buitenkansje gezien.

Op een dag staat een grote geel-rode reclamewagen van Coca-Cola op het schoolplein en elk kind krijgt een gratis flesje cola, een nieuwe drank, die uit Amerika komt. Alleen dat al en dan die magische naam en dat gekke glazen flesje! Het is spannend en het lijkt op niets dat we tot dan toe kennen. Wauw! We zijn ook niet bepaald verwend wat snoepen betreft. We vragen wel om 'iets lekkers', maar dat wordt niet vaak gehonoreerd. 'Neem maar een boterham!' Een snoepje of een koekje krijgen we heus wel eens, maar erom vragen leidt steevast tot het cliché: 'Kinderen die vragen, worden overgeslagen'. Je hebt maar te wachten tot het trommeltje, doosje of rol wordt voorgehouden, maar dat gebeurt niet vaak. Nou, ééntje dan. En daarna heel netjes bedanken.

Voor één of twee cent kun je bij de bakker nog allerlei lekkers kopen en een waterijsje kost vijf cent.

Soms wordt van bovenaf iets voor de jeugd georganiseerd. Bij een speciale feestelijkheid op school, op Koninginnedag, of bij festiviteiten van een parochie. Een clown, een poppenkast of een goochelaar worden ingehuurd. Maar het fijnste zijn de films. Die zijn er ook wel regelmatig, omdat het natuurlijk een goedkoop en gemakkelijk middel is om een grote groep kinderen stil te houden. Hoewel: stil...? Een hele zaal vol kinderen, op lange planken of op harde vouwstoelen, zijn bepaald niet stil, die krijsen luidkeels van opwinding. Maar dan gaan de lichten uit en het rumoer ebt weg in een collectieve zucht van verwachting. Het begint! Wat geeft het dat de verduisteringsgordijnen het zaaltje zelden donker genoeg maken? Dat de films meestal behoorlijk beschadigd zijn, met witte strepen, flitsen en verkeerde lassen? We hangen met volle aandacht aan het doek als er een tekenfilm van Walt Disney wordt vertoond en leven mee met de avonturen van de Dikke en de Dunne of Charley Chaplin. Bijna altijd gaat het licht tussendoor aan, omdat de film doldraait, de band gebroken is, of gewoon omdat een nieuwe spoel moet worden ingezet. En steeds is er de vraag of het nu definitief is, of dat er nóg een filmpje zal komen, steeds die hoop dat het deze keer nog héél lang zal duren. Totdat, altijd veel te snel, wordt aangekondigd dat het afgelopen is.

***Dorpsleven***

Nederland is in die jaren nog voor een groot deel agrarisch. Stads- en plattelandsleven verschillen veel van elkaar en 'de stad' kijkt neer op 'het dorp'. Een tante waar we vaak kwamen, woonde in een dorp van ± 900 inwoners. 's Morgens om acht uur ging ze met de bus naar haar werk in de dichtstbijzijnde stad (12 km.), 's avonds om vijf uur terug. Tussendoor konden de dorpelingen nóg een keer retour, maar vaker reed de bus niet.

Dorpelingen voelen zich trouwens ook vaak ontheemd in 'de grote stad', waar ze immers maar zo weinig komen. De meeste van hen zijn kleine boeren, keuterboeren, die zo goed als zelfvoorzienend zijn.

Ze doen aan risicospreiding, al kennen ze het woord niet en hebben daarom van alles wat: een koe, wat varkens, kippen en konijnen, een hectare land met groenten en een bongerd met vruchtbomen. Meerdere half wilde katten moeten de muizen vangen en de hond, buiten aan de ketting, is geen gezelligheidsdier, maar een afschrikmiddel tegen 'vreemd volk', want van vreemd volk houden de boeren niet. Soms is er een akker met graan, een boomgaard met fruitbomen, een moestuin. De boeren in de vijftiger jaren hadden ook vaak niet veel meer dan de lagere school doorlopen, want boer zijn, dat leerde je in de praktijk wel van je vader.

Als stadskind je ogen uitkijken. In die kleine, donkere stallen, met de indringende, maar tegelijk zachte, warme geur van mest en lijven en hooi, waar het zachte gescharrel van de dieren soms het enige geluid is. Toekijken hoe de paarden beslagen worden, de schroeilucht van de hoef ruiken en steeds weer de verbazing omdat het paard geen spier vertrekt als zo'n roodgloeiend hoefijzer sissend op zijn plaats wordt gespijkerd door de smid. Het knerpende geluid van klompen over de weg. Het wetten van de zeis en het gesis van die zeis door gras of graan. Het geratel van boerenkarren, voortgetrokken door een paard. Het geluid van schuimende melk, leeggegoten in de melkbus. Het rammelen van die melkbussen op de vrachtwagen. De smaak van biest (de eerste melk van de koe voor het net geboren kalf), vettig en zwaar. Kippen scharrelen overal vrij rond en zoeken 's avonds zelf hun nachthok op en elk ei is er een dat verkocht kan worden. Het slachten van een kip met daarna die weeïge lucht van de geplukte natte veren. Kijken naar het geslachte varken aan de ladder en naar de geconcentreerde drukte daaromheen van de boer en zijn vrouw, maar ook van een aantal helpende buren: uitbenen, darmen spoelen, roeren in de emmers bloed en dan zien hoe een levend dier binnen een dag is veranderd in karbonades, speklappen, gehakt en verse worst, in bloedworst, zult, tongenworst en leverworst.

Graan wordt op het land in oppers rechtop gezet en later, hoog opgetast op de wagen, naar de schuur gebracht. De geur van vers hooi, dat met een riek wordt gekeerd om het te laten drogen in de zon. Liggen in een hooiberg, of stiekem spelen op de verboden hooizolder, waar nog bruikbaar hooi ligt van misschien wel twintig jaar geleden. Aardappels rooien en allerlei soorten fruit, nog warm van de zon, uit bomen en van struiken plukken. Kisten vol groenten, aardappelen en fruit staan bij de boer op de deel en twee keer per week worden die aan de straat gezet en naar de veiling gebracht. De verkoopcijfers komen met de vrachtbrief retour, vallen ze deze keer mee of tegen? Margrieten, klaprozen en korenbloemen plukken tussen het graan en in de wei, maar de paardenbloemen laten staan.

Wat comfort betreft loopt het leven in de dorpen een eind achter op het stadsleven. Vaak is de boerderij nog niet aangesloten op de waterleiding en is er dus geen kraan. Daarvoor in de plaats is er de pomp in de keuken. De waterput buiten, waar met de emmer aan een lange stok water uit wordt opgehaald, is bedoeld voor klussen waarvoor geen drinkwater nodig is, zoals het begieten van de moestuin of het schrobben van de tegels. Geen stromend water? Dan is er ook geen riolering. De wc is dan een 'poepdoos': een zitplank met een rond gat, waardoorheen de behoeften, zonder waterspoeling, met een plof in de diepte vallen. Je hoort een plof, geen plons, want de urine sijpelt wel weg in de grond en die biologische poep verteert na verloop van tijd. Het stinkt er niet echt, al ruikt het uiteraard ook niet erg fris. En daarna vegen we onze stadse billen, die beter gewend zijn, af met in vierkanten geknipte stukken krant, die aan een spijker hangen en die wel rondvegen, maar weinig opnemen. Een andere mogelijkheid: de wc heeft een zinkput. Er is dan wél een gewone wc met een spoelmechanisme, maar geen riolering. Dan moet om de zoveel tijd de smurrie professioneel worden afgevoerd, voordat daar een en ander dreigt over te stromen.

Kleine dorpen hebben geen vuilophaaldienst, eventueel restvuil wordt verbrand op de akker, of komt in een hoek van de schuur te liggen, tot een oud-ijzerman het ijzer, het papier, of de lompen wel wil meenemen voor een paar centen. Wonen doet het boerengezin in de grote woonkeuken, daar is het warm en daar kun je met vuile kleren op de stoel gaan zitten. De 'mooie kamer' wordt niet gebruikt, behalve bij rouw en trouw. Elke vrouw die ouder is dan een jaar of vijftig gaat in een dorp in het zwart, donkerblauw of donkergrijs gekleed. Aanbellen doe je niet in de dorpen, je loopt achterom naar binnen en roept 'vollek!'

In kleine dorpen, zelfvoorzienend als ze zijn, zijn natuurlijk ook geen winkels, behalve die ene kruidenier/bakker, die daarnaast nog heel veel andere dingen verkoopt: schriften, naaigaren, sokken, pannen, motorolie... Het is de plek waar nieuwsgierige vragen worden gesteld en beantwoord. Maar dat heet 'betrokkenheid' in plaats van roddel, wat het vaak gewoon is.

Eind vijftiger jaren beginnen, door mechanisering en ruilverkaveling, tienduizenden bewoners van het platteland hun oude, onpraktische boerderijen in te ruilen voor een huis in de stad. In de zich uitbreidende industrie konden veel onervaren en ongeschoolde mannen tegen redelijke lonen aan het werk.

Maar ook voor de blijvers wordt het leven aangenamer. Riolering, waterleiding, aansluiting op het gasnet laten poepdoos, pomp en regenput verdwijnen. Door auto, bromfiets en beter openbaar vervoer sluiten stad en platteland beter op elkaar aan. Hand- en paardenkracht worden vervangen door tractoren en andere grote landbouwmachines. Het oude boerenleven verdwijnt in hoog tempo.

***Winkels en bedrijven***

In die jaren hoef je nooit lang te zoeken naar een winkel, want ze zijn er allemaal, en vlak om de hoek, een dicht netwerk van kleine buurtwinkeltjes. Soms maar zes bij zes meter en vaak beheerd door een echtpaar, want een betaalde kracht kan er niet vanaf, ook niet met die lage lonen van toen. Binnen een straal van een paar honderd meter om ons huis (zo telde ik achteraf) zijn minstens vijf kruideniers, vier bakkers, vier groentewinkels, drie slagers, twee zuivelwinkels met melk, boter, kaas en eieren, terwijl een bakker en een melkboer ook nog dagelijks aan huis komen. De voorkamer in het huis van de kapper is zijn kapsalon.

Dat netwerk van buurtwinkels heeft zijn voordelen, maar het nadeel is dat je voor boodschappen doen veel tijd kwijt bent, vooral omdat nog veel boodschappen ter plekke moeten worden afgesneden, gewogen en ingepakt. Steeds opnieuw sta je in de rij te wachten, bij de slager, de groenteman, de kruidenier en de bakker, want ze verkopen alleen wat bij hun eigen branche hoort.

Bij de groenteman wordt bijna niets ingepakt; de aardappelen, uien, appels, winterwortelen, ze worden gewogen en gaan los mee in de tas; thuis zoek je ze maar weer bij elkaar. Daarvoor hebben we één stokoude, afgedankte leren 'groentetas' (álle tassen zijn nog van leer). Wat te klein is om los mee te nemen, zoals spruitjes, boontjes, aardbeien, wordt in een krant gevouwen.

Het is logisch dat zulke kleine winkeliers niet anders dan een zeer beperkt assortiment kunnen leveren. Aardbeienjam, koffie, wasmiddel: het is er in een goedkope en een duurdere versie en dan houdt het al een heel eind op. Bij de vaste kruidenier komen de boodschappen in een boodschappenboekje en dat werkt de eigenaar dan af. De bedragen schrijft hij erachter en een paar weken later wordt alles met zo'n twintig of dertig gulden afgerekend. Wat zullen die kleine kruideniers het vaak moeilijk hebben gehad: een klant die zich ineens niet meer laat zien, mensen die, echt of niet, hun boekje kwijt raken, de zorgen om een te hoog oplopende rekening: wanneer ga je daar iets over zeggen? Behalve die buurtwinkels zijn er nog voor allerlei andere zaken wel aparte winkels: voor sigaren, hoeden, brei- en borduurspullen, manufacturen…

Kleding wordt graag bij grotere kledingzaken gekocht. Zeker op drukke dagen wordt daar niet zoveel pressie op de klant uitgeoefend. Want die is vaak niet mis! Een verkoopster slaat al snel het gordijn van het pashokje open: 'En, past het?' Aarzeling wordt niet geaccepteerd: 'Maar het zit u als gegoten!' Het is niet gemakkelijk om te zeggen dat het dan misschien wel past, maar dat het model... 'Maar dat is nu heus de mode, mevrouw', of: 'Het staat u toch zo beeldig!' En: 'Ik heb er een leuke hoed bij, die het geheel zal ophalen.' 'Het is niet wat ik zoek' wordt eigenlijk niet geaccepteerd en je moet van goede huize komen om met lege handen én opgeheven hoofd de winkel te verlaten. Kledingwarenhuis C&A herinner ik me als een van de eerste winkels waar je alléén mag beslissen om wel of niet tot koop over te gaan, al is er altijd nog de vraag aan het eind: 'Wat paste er niet?'

Ook schoenen kopen is vaak een lijdensweg. Er staat wel iets in de etalage, maar verreweg het grootste deel van het assortiment bevindt zich in de stapels dozen die op stellingen langs de muren staan. Dan kun je slechts beschrijven wat je zoekt: zwart, met bandje en klein hakje. Maar het is verbijsterend om te zien hoeveel zwarte schoenen met bandje en klein hakje tevoorschijn kunnen worden getoverd die je níét bedoelt, of die niet goed passen, terwijl het wel zo lijkt. De dozen stapelen zich naast je op, maar wat je zoekt is er niet bij. Dus na een paar of zeven ga je ofwel zwetend de winkel uit, óf neem je maar een 'net-niet'-paar. Het personeel werd niet getraind op klantgerichtheid, maar op: een klant die binnen is, gaat niet weg zonder iets gekocht te hebben.

Naast de winkels zijn er nog volop kleine bedrijfjes te vinden. In een straat in de stad kan een kleine smederij gevestigd zijn en midden in de stad staat een melkfabriek, waar de kratten met rammelende flessen door een kleine opening naar binnen schuiven.

Er is een (kantoor)boekhandel, waarin een buurtbibliotheek is gevestigd: een aantal boeken zijn gekaft met bruin kaftpapier, de titel staat op de rug geschreven. Voor een stuiver een boek lenen; goedkoop is het eigenlijk niet. Daarvoor krijg je een stapeltje van zo'n acht boeken voor je neus om uit te kiezen, terwijl de eigenaar meekijkt en commentaar levert. Gelukkig is er de openbare bibliotheek, die is goedkoper en je mag er zelf je boeken uitkiezen. Op de jeugdafdeling lijken honderden boeken te staan, maar vergeleken met nu was het allemaal wel heel kleinschalig. In de jeugdboeken staan wel hier en daar wat plaatjes, maar die zijn bijzaak, want het gaat om het *lezen*, dus ook jeugdboeken bestaan vooral uit heel veel letters.

Omdat menskracht niet duur is, bellen elke dag wel mensen aan de deur. Behalve de melkboer en de bakker ook de slagersjongen, de vis-, bloemen-, eieren- of groenteverkoper. En degenen die incidenteel aanbellen: de ketellapper, stoelenmatter, scharensliep, de oud-ijzerman, voddenboer, kolenboer. En dan nog de talloze 'lopers'. De krant komt wel in de bus, maar voor alle andere abonnementen bellen vaak wekelijks vaste personen aan, die het weekblad afleveren en meteen het geld ervoor innen. Ook voor huur, verzekeringen, het begrafenisfonds en dergelijke wordt maandelijks aangebeld, tenzij het geld giraal wordt overgemaakt, wat nog weinig gebeurt. Eind zestiger jaren loopt nog steeds één stokoude man met zijn bloemenkar door de straten, die kennelijk geen afscheid kan nemen. Hij is een anachronisme geworden; er bestaan geen handkarren, 'lopers' of boodschappenboekjes meer.

Zolang ik me herinner hebben wij thuis telefoon, maar de meeste Nederlanders hebben die nog niet en gaan – als er echt iets dringend is – naar de buren om iemand op te bellen. Vervelender is het als de buren bij jou komen aanbellen omdat je tante, die jou iets te vertellen heeft, bij hun aan de telefoon hangt. De telefoon bestaat in die tijd in één standaarduitvoering: zwart, van bakeliet en met een draaischijf. De enige keuze is: een staand of hangend model. De PTT heeft (en houdt nog tot in de tachtiger jaren) het absolute monopolie over post en telefonie. De post wordt nog dagelijks 's morgens en 's middags bezorgd en ook de brievenbussen worden twee keer per dag geleegd.

Papierbergen bestaan niet. Wanneer teksten voor meer mensen beschikbaar moeten zijn, kan de typiste met carbonpapier ongeveer vier doorslagen maken op haar typemachine, maar dan is de laatste versie al wel behoorlijk onduidelijk geworden. En een fout maken bij het typen? Dan kan ze kiezen: óf laten staan, óf ermee knoeien (er overheen typen), óf die bladzijde helemaal opnieuw typen, want typ-ex bestaat nog niet. Het vermenigvuldigen van teksten gaat wel veel sneller met de nieuwe vloeistofduplicator, een primitief soort stencilmachine, die zo'n dertig tot vijftig afdrukken kan maken. De tekst wordt op speciaal, vliesdun papier ingetikt en dat vel gaat strak over een ronde in-inktplaat. Het strak erover heen trekken is een kunst apart en nog moeilijker is het om daarbij niet vol inkt te komen zitten. Daarna draaien aan de zwengel; elke slag is één exemplaar. Lelijk is het resultaat in elk geval altijd; het geheel ziet er per definitie onverzorgd uit en de o's en e's zijn vaak blauwe rondjes. Maar je kunt er wél meerdere exemplaren mee afdraaien, voor het geheel onleesbaar wordt. Daarna de volgende pagina, dezelfde procedure. Het apparaat nodigt in elk geval niet uit om vaker te gebruiken dan noodzakelijk is.

Langzaam neemt fabricage steeds meer het handwerk over. Leer bewerken, meubels of maatkleding maken... het verdwijnt allemaal in hoog tempo. Handwerk wordt te duur, machines hebben de toekomst. En omdat bij kleine omzet te weinig wordt verdiend, verdwijnen ook de kleine fabrieken en bedrijven uit het stadsbeeld.

***Beginnende welvaart; de moderne tijd***

Rond 1950 is het nog rustig op straat; auto's zijn nog een zeldzaamheid, forensenverkeer is nog zo goed als onbekend. Samen met mijn zusje moet ik, om op school te komen, een van de drukste straten van het huidige Nijmegen oversteken, de St. Annastraat. Wat mijn moeder steeds herhaalt, is: 'Pas op daar, goed elkaars handje vasthouden, hoor!' Of: 'Steek maar over als de grote mensen ook oversteken.' Maar daar blijft het dan ook bij. Kennelijk is het nog bepaald niet levensgevaarlijk, ook niet voor een vier- en zevenjarige.

Mijn vader heeft als een van de weinigen in onze straat midden vijftiger jaren een auto, kenteken M 49191 (M is Gelderland), maar de verkeersdrukte neemt snel toe. Heeft in 1950 een op honderd inwoners een auto, in 1960 is dat een op twintig geworden (ter vergelijking: in 2014 is dat een op twee). In 1955 ontstaat met Pinksteren de eerste file, bij Oudenrijn. Het is voorpaginanieuws. De nu opkomende term 'zondagsrijder' is wel een juiste: inderdaad gaan veel autobezitters 's zondags met het gezin een stukje rijden en is hun rijstijl vaak niet geweldig, daarvoor maken ze gewoon te weinig kilometers. Vrouwen zitten nog niet vaak achter het stuur en als ze dat wel doen, dan wordt ook de kleinste fout hen niet vergeven: 'Natuurlijk weer een vrouw achter het stuur!' Behalve meer auto's, komen ook de eerste brommers op de weg. De solex heeft een truttig imago en is eigenlijk een fiets met hulpmotor, maar die gaat wél dertig km per uur.

Het verkeer wordt nu gevaarlijk genoeg om maatregelen te gaan nemen. Het in zwang geraakte 'bermtoerisme' wordt verboden. De eerste verkeersagenten leiden zwaaiend met hun armen het verkeer op drukke dagen dwingend in goede banen. Dat kan dus met de armen, maar minder vermoeiend is de voorloper van het verkeerslicht. De agent staat dan op een kruispunt achter een paal met rode en groene borden die hij beurtelings laat omklappen. Er komen oranje knipperbollen, voorlopers van de zebrapaden, op gevaarlijke oversteekplaatsen waar de voetganger voorrang heeft. De eerste echte verkeerslichten verschijnen nu hier en daar in het straatbeeld. Verkeersbrigadiertjes die de schoolkinderen helpen oversteken.

Binnen de bebouwde kom mag niet harder meer gereden worden dan vijftig km.

Oude tradities en waarden staan nog hoog in het vaandel, maar de wereld begint toch een duidelijke draai te maken naar een meer comfortabel leven. Veel nieuwe producten komen op de markt. De producten van bakeliet blijven bestaan: de radio, de telefoon, de oude speelplaten. Maar daarnaast komen nieuwe producten. Elektrische koffiemolen. Balpen. Televisie. Koelkast. Brommers. Wegwerpmaandverband. Deodorant. Groenten in blik. Geiser. De moderne wasmachine. Stripverhalen. Bandrecorder, nog met grote spoelen. Handmixer. Scheerapparaat. Haarföhn. De grote 'bustehouder' wordt 'bh'.

En plastic! Plotseling zijn allerlei spullen, die voorheen alleen in aardewerk of metaal te krijgen waren, nu in kleurig plastic te koop: emmers, suikerpotjes, bloemen, stoelen, schorten, zakjes...

En de nieuw gebouwde V&D heeft een roltrap! Verbazing.

***Televisie***

Televisietoestellen ('Haal de bioscoop in uw woonkamer!') worden na 1955 door koplopers aangeschaft. Veel potentiële kopers gaan 'proefdraaien' in een hotel-restaurant dat klanten ermee naar de zaak lokt. Zelf zie ik voor het eerst tv bij een buurvrouw, samen met zes, zeven andere buurtkinderen, op de grond zittend bij dat ene halfuurtje kinderprogramma per week, op woensdagmiddag. Tovenarij vind ik het! Een mevrouw die tegen me aanpraat op twee meter afstand, zonder dat ze aanwezig is! Het is geen foto en geen film, want ze is er op hetzelfde moment dat ik haar zie en toch is ze er ook niet. Zelfs als na enkele minuten het beeld uitvalt en alleen 'sneeuw' op het scherm overblijft, zit ik gefascineerd naar dat gefriemel te kijken. Ik had nog heel lang zelfs dáárnaar willen blijven kijken, maar we worden al snel door de gefrustreerde bewoonster (is de televisie kapot?!) weggestuurd.

Elke televisie heeft zijn eigen antenne op het dak staan en in die jaren is dat een statussymbool; je ziet meteen wie een televisie in huis heeft. Het gerucht gaat zelfs dat er mensen zijn die alleen een antenne op het dak laten plaatsen, om de schijn te wekken dat ze televisie hebben. Die eerste televisies zijn overigens net zo vaak een last als een lust. Ze moeten duur zijn geweest, die eerste jaargangen, vooral als ze in een bijpassend chic televisiemeubel staan. En oh, wat gaan ze snel kapot en wat zijn het ingewikkelde krengen. Het begint al met die antenne, door de leverancier geplaatst en aangesloten. Door harde wind kan de antenne wat gaan draaien en moet dan weer worden bijgesteld; na een echte storm zie je overal geknakte antennes op de daken. Echt scherp wordt het beeld maar zelden, veel sneeuw moet op de koop worden toegenomen. Het scherm is ongeveer 50 x 40 cm., zodat je dichtbij moet zitten om iets te kunnen zien. Maar juist voor dat dichtbij gaan zitten geldt een serieuze waarschuwing, omdat nog niemand weet of de straling van dit nieuwe apparaat misschien risico's inhoudt voor de gezondheid. Drie, maar liever vijf meter afstand wordt aanbevolen, maar dán zie je dus bijna niets!

Dan is er de bediening van het toestel zelf. Opzij twee draaiknoppen. De ene knop staat met de antenne in verbinding, daar moet je vooral afblijven, want die is immers goed ingesteld. Maar ja, als de sneeuw op het scherm steeds dichter wordt, wordt de verleiding ook steeds groter... en ten slotte staat elke vijf minuten wel iemand anders van het gezin eraan te draaien terwijl de anderen commentaar leveren. De tweede knop is de zenderknop, óók ingesteld op de beste ontvangst. Maar je kúnt zo'n zender ook elders vinden en als door al die sneeuw de verleiding ook daar toeslaat... Ook in de televisiestudio's doen zich veelvuldig storingen voor en vanuit het niets verschijnt een hand in beeld die een bordje 'storing' voor de camera plaatst. Niemand weet waarom of voor hoe lang, ook in de studio niet. Het kan een paar minuten duren, maar ook langer dan een half uur, of zelfs wordt maar van de hele verdere uitzending afgezien.

Afijn, het is soms een straf om televisie te hebben. De frustratie is dan groot, maar die duurt niet zo heel lang, om de eenvoudige reden dat er maar één zender is, die tussen acht en ongeveer tien uur 's avonds uitzendt (daarnaast nog een half uur voor de kinderen, op woensdag- en later ook zaterdagmiddag). In de grensgebieden hebben mensen het geluk ook het Duitse of Belgische net te kunnen ontvangen, zodat ze over twee zenders beschikken. Het is de tijd waarin de huiskamers vol en de straten leeg zijn, zoals bij een onemanshow van Toon Hermans of het Eurovisie Songfestival (we zien hoe Teddy Scholten '*Een beetje*' zingt en wint.).

Die eerste generatie televisies levert weliswaar vaak nogal wat ellende op, maar de magie is er niet minder om!

### *Mode*

In deze jaren wordt de mode nog strak gedicteerd vanuit Parijs. Steeds verandert in de damesmode iets kleins, maar wezenlijks. Het moet naar verhouding veel geld gekost hebben om de elk jaar wisselende eisen rondom de A-lijn of de H-lijn, de wijde-, de strakke- of de klokrok, de boven-, onder- of op de knie-roklengte te volgen. Want na een jaar of twee, drie kan die prachtige – nog helemaal niet versleten – jas echt niet meer gedragen worden. Wel is het zo dat de klerenkast meestal maar een kleine rij kleding laat zien, dus met twee nieuwe kledingstukken kom je alweer een heel eind.

In 1957 wordt in Saint Tropez de eerste bikini geshowd.

Panty's bestaan nog niet en nylonkousen, met of zonder naad, zijn duur en worden met grote zorg behandeld. Ze worden bewaard in aparte dozen of katoenen zakjes en gewassen in een apart sopje. Een haaltje erin bestaat niet, in plaats daarvan heb je onmiddellijk een lange ladder. Dus worden speciale dunne handschoenen verkocht voor het aandoen van de kousen. Desondanks zijn ladders onvermijdelijk. Die worden dan gerepareerd met een druppeltje doorzichtige nagellak, of 'opgehaald', in een speciale winkel: in onze stad is dat Maison Ribèrt. De kousen worden over een glazen been geschoven om de prijs te bepalen. Overigens gebeurt dat niet aan de hand van de lengte, maar de breedte van de ladder. Nu ik eraan terugdenk, denk ik zeker te weten dat meneer Ribèrt een dijk van een homo is geweest, maar wie had toen al gehoord van 'de herenliefde'? Die is ook strafbaar volgens de wet, al is er al wel een bar in Amsterdam waar de mannen kunnen samenkomen. Dat wordt door de politie oogluikend toegestaan, als er maar geen sprake is van openlijke coming-out, want dan moet worden ingegrepen.

In die tijd is tandenpoetsen of je gebit verzorgen bepaald geen gewoonte. Onregelmatige gebitten of ontstoken tandvlees, veel mensen hebben er last van. Weliswaar begint de tandarts nu voor het eerst duidelijker in beeld te komen, maar verdoving is er bijna niet bij en de tandartsboor gaat heel langzaam in die tijd, dus de pijn gaat lang door. Geen wonder dat velen met geen stok naar de tandarts te krijgen zijn. Ouders kiezen dan ook soms voor een duur huwelijkscadeau voor hun dochter: zij mag… bij de tandarts een kunstgebit laten aanmeten! Ideaal toch? Nooit meer pijn en altijd witte, regelmatige tanden; dát is nog eens wat. Het wordt niet op grote schaal gedaan, maar toch.

***Vakantie***

Vakanties worden door kinderen en ouders (soms gescheiden van elkaar) vaak doorgebracht bij familieleden, waarbij je een vriendin of vriend meeneemt. In de zomertijd komt zo een heel rouleersysteem op gang. Natuurlijk zijn de huishoudens niet berekend op twee of meer logees; het begrip 'kermisbed' is in die jaren dan ook een algemeen bekend begrip. Met losse kussens, een sofa of een oude matras worden dan bedden erbij gefabriceerd. Dekens worden toch al nooit weggegooid, dus de oude, versleten exemplaren kunnen nog prima dienst doen op de kermisbedden in de zomer.

Soms kan er een dagje Zandvoort of Scheveningen vanaf met het hele gezin, of fietsend naar dierentuin of speeltuin. Jongeren kunnen, zonder ouders, logeren in jeugdherbergen, waar ze met vieren of zessen in stapelbedden op een kamer slapen. Pa en ma weten dat hun kroost veilig is, want de 'huisvader en huismoeder' van de jeugdherberg waken tegen zedenbederf.

Enkele avonturiers gaan al kamperen, soms met zo'n nieuwerwets ding, een caravan, maar meestal met een tentje van loodzwaar, dik katoen, dat achter op de fiets gebonden wordt. Nog een paar pannen en een deken mee en karren maar. De kust, Veluwe, Drentse heide en Zuid-Limburg zijn in trek.

Midden jaren vijftig, wanneer al meer mensen een auto kopen, gaan de eerste waaghalzen daarmee naar het 'echte' buitenland: Duitsland, Zwitserland, Noord-Italië zelfs. Bijna niemand maakt zich nog druk over 'bruin worden'. Languit zonnen is iets nieuwerwets en zelfs eigenlijk 'not done', is eerder juist een symbool van ongehoorde luiheid.

***Jongerencultuur***

De moraal is nog streng in de vijftiger jaren. Zeker in de dorpen, maar ook in de stad loopt een scherpe scheidslijn tussen wat je wel en niet kunt doen. In de jaren na de oorlog staan jongeren nog altijd en overal onder toezicht van volwassenen, ook in hun vrije tijd. Ze gedragen en kleden zich al vroeg 'serieus', ook al zijn ze pubers en twintigers.

Maar langzaam lijken de tijden te veranderen. De eerste opstandige jongeren die uit het keurslijf willen breken, komen uit de arbeidersklasse. Deze ongeschoolde arbeiderskinderen werken bij een groenteman, hebben een baan als bakfietsbesteller, sjouwer in de haven of krantenbezorger en soms veranderen ze wel vijf keer per jaar van beroep. Al verdienen ze weinig, zij hebben wél eigen geld en ze willen niet langer in de voetsporen van hun vaders treden. Vaders, die ze hard zien werken, maar die desondanks altijd 'een dubbeltje' blijven en vroeg 'versleten' zijn. De groep blijft vooralsnog beperkt, want de prijs is hoog: in hun eigen omgeving liggen ze er al snel uit, omdat ze een leefstijl ontwikkelen die hard botst op wat in hun familie gangbaar is. In Duitsland heten ze Halbstarken, in Engeland teddyboys, in de VS beatniks. In 1955 verschijnt een serie artikelen van de journalist Vrijman over deze nieuwe groep jongeren die daarin nozems worden genoemd (Nederlands Onderdaan Zonder Enige Moraal). De term slaat onmiddellijk aan en wordt gebruikt voor alle vormen van afwijkend jongerengedrag.

Nozems gaan naar het café en de bioscoop, rijden op de eerste grote brommers (de buikschuivers), rock-'n-rollen en verzamelen zich bij de eerste snackbars. Naar het voorbeeld van hun helden als James Dean en Elvis Presley hebben ze opgekamde kuiven met veel brylcreem, dragen puntschoenen, zwarte leren jacks, strakke spijkerbroeken en, helemaal nieuw, witte T-shirts in plaats van het nette overhemd (naar filmster-held Marlon Brando). Met hun brommers en de nieuwe transistorradio's kunnen ze rekenen op de aanbidding van 'een bepaald soort meisjes'. Die meisjes dragen strakke truitjes, wijde rokken met een petticoat eronder, zijn zwaar opgemaakt, en hebben hoog getoupeerd haar, waar een sjaaltje omheen geknoopt zit tegen de wind. Hun voorbeeld is Brigitte Bardot. Net als brylcreem is ook hairspray sinds kort op de markt. De 'vetkuiven' praten wel over 'lekkere wijven' en 'naar bed gaan met vrouwen', maar of ze 'het' ook doen is een ander verhaal; uit angst voor zwangerschap in een tijdperk waar nog maar weinig voorbehoedmiddelen voorhanden zijn, laten veel meisjes dat echt niet toe. Volwassenen zijn diep geschokt door deze jeugd en kijken met afgrijzen toe. Waar moet het met de wereld heen?! Uit de jukebox en uit de radio schallen de provocerende rock 'n roll-klanken van Bill Haley's *Rock around the clock* en Elvis Presley's *Blue suede shoes.* Peter Koelewijn komt met het eerste Nederlandstalige rocknummer *Kom van dat dak af.* Gevaarlijke en onrustbarende muziek voor mensen die Frank Sinatra en Pat Boone al vooruitstrevend genoeg vinden.

De film *Grease*, met de jonge John Travolta, brengt deze tijd in beeld.

Een andere, veel kleinere groep, vormen de jongens en meisjes uit de meer intellectuele milieus. Die jongeren beginnen - eerst in Amsterdam en later in de provinciesteden - de levensstijl te imiteren die geassocieerd wordt met de kunstenaars in Parijs, de stad die trekt als een magneet. Voor de meeste Nederlanders is Parijs het oord van oh-la-la en Moulin Rouge, maar voor een jonge voorhoede wordt die gezien als een eldorado. Jongeren voeren onder visnetten en druipkaarsen quasidiepzinnige gesprekken over de vrijheid van de clochards en 'vrije expressie in de kunst'. Ze luisteren naar jazz, lezen Sartre en zijn consequent in zwart gekleed. De meisjes hebben zwart opgemaakte ogen en sluik haar, dat vaak in een hoge paardenstaart gedragen wordt.

Voor degenen die noch bij de ene, noch bij de andere groep horen en toch iets eigenzinnigs willen uitstralen, is er die nieuwe dracht voor allen: de spijkerbroek. Ouderen vinden die natuurlijk lelijk en onfatsoenlijk en de medische stand waarschuwt voor de gezondheid, want die broeken zitten te strak in het kruis!

Maar regering, geestelijkheid en ouders zijn niet bij machte om het tij te keren en moeten zich zo goed en kwaad als het gaat zien te verzoenen met een levensstijl die niet meer de hunne is. Zij maken het eindpunt mee van een godvrezend, duidelijk en geordend bestaan.

Het einde van de vijftiger jaren mag dan veel onzekerheid brengen, maar de inkomensstijging gaat nu wél met sprongen vooruit. Met hard werken is het in relatief korte tijd gelukt om er na de oorlog weer bovenop te komen en Nederland ziet zich rijker worden. Voor de zwakkeren is al een begin gemaakt met een vangnet aan sociale verzekeringen. Nederland staat zelfs in de top tien van de rijkste landen ter wereld!

Alsmaar komen nieuwe producten op de markt en men begint te geloven dat het van nu af aan voor iedereen materieel steeds beter zal gaan.

Alsof het altijd zo zal blijven...

# DE ZESTIGER JAREN

Ineens gaat het nu hard. De oude wereld van de vijftiger jaren sluit nog wel naadloos aan bij de eerste jaren van dit nieuwe decennium, maar stort halverwege de jaren zestig definitief en met veel kabaal in. Als het gaat over 'de sixties' bedoelen we vooral de jaren 1963 – 1975. In die jaren verandert Nederland onherkenbaar en die verandering voltrekt zich in *alle* sectoren van het leven: politiek, maatschappelijk, cultureel, economisch... De voorhoede wordt gevormd door de jongeren die de Tweede Wereldoorlog niet bewust hebben meegemaakt. Zij groeien op met stijgende welvaart en vinden die ook normaal.

In de vijftiger jaren is alles kalm zijn gangetje gegaan. Veilig, burgerlijk, bekrompen ook, met voor de jeugd weinig vrijheid of kans op zelfontplooiing. De gevestigde orde had de teugels strak in handen en liet die niet zomaar vieren. Dat gevoel van basisveiligheid en overzichtelijkheid zet zich ook in de zestiger jaren nog wel even voort. We kunnen 's avonds laat nog steeds veilig alleen over straat, al worden weliswaar vaker fietsen gestolen en wordt ook vaker iets uit jassen en huizen weggehaald. We zijn al geschokt over drie inbraken en een gestolen auto in een weekend en dat staat ook groot uitgemeten in de plaatselijke krant. In de loop van de volgende jaren verdwijnen wel geleidelijk de touwtjes uit de brievenbussen. Ook de melkflessen staan niet zo vaak meer buiten, ze worden nu soms meegenomen of baldadig vernield. En misschien moeten we de achterdeur toch ook maar op slot draaien, want je hoort tegenwoordig zulke rare verhalen...

Maar we zijn wel nieuwsgierig, en toe aan nieuwe ideeën. Worden zelfstandiger en maken ons los van de groepen en zuilen waartoe we als vanouds behoorden.

### *Welvaart*

De oorlog ligt al vijftien jaar achter ons en het vliegwiel van de welvaart begint in de westerse wereld op volle toeren te draaien. De vijftiger jaren hebben al een relatieve groei laten zien en nu gaat die groei verder. Voor ons Nederlanders kan het niet op, want we blijken ook nog eens op een enorme aardgasbel te wonen. Tel uit je winst! We worden door de regering aangemoedigd om meer te gaan consumeren (goed voor de economie!) en we doen dat maar al te graag. We hebben genoeg van de zuinige jaren die achter ons liggen. In de jaren zestig en zeventig wordt in hoog tempo de verzorgingsstaat opgebouwd. Naast de groeiende welvaart komt nu ook de behoefte aan meer welzijn. Wanneer mensen in koopkracht achterblijven door werkeloosheid of arbeidsongeschiktheid, kunnen zij een beroep doen op het vangnet van sociale voorzieningen, dat steeds verder wordt uitgebouwd. Vadertje Staat biedt ons overheidssteun 'van de wieg tot het graf'. Allerlei voorzieningen worden in het leven geroepen op het gebied van onderwijs, volksgezondheid en ouderdom. Daaraan hangt dan wel een fors prijskaartje van vele miljarden extra uit de schatkist.

De 48-urige werkweek uit de jaren vijftig verandert in een 40-urige werkweek. De vrije zaterdag doet daarmee definitief zijn intrede en het woord weekend raakt ingeburgerd, net als het nieuwe woord recreatie. Door de combinatie van meer vrije tijd en meer welvaart begint ook de doe-het-zelfcultuur aan zijn opmars, we slaan massaal aan het klussen in huis. Aarzelend komen woonboulevards en de grote winkelketens in beeld. Overgewicht, tot nu toe iets dat onvermijdelijk leek, wordt nu iets fouts, dat niet langer gewenst is. Een zongebruinde huid echter wordt juist een must.

Overal toenemende welvaart. Loonsverhogingen volgen elkaar steeds maar op; het lijkt gewoon niet meer op te kunnen. In 1964 stijgen de prijzen met 7%, de lonen met 15%. Een voorbeeld: in 1965 verdien ik als beginnend onderwijzeres van twintig jaar een (jeugd)loon van fl.550,- netto per maand. Bijna maandelijks komt er geld bij en niemand in mijn omgeving kan me uitleggen waarom. Twee jaar later krijg ik al fl.1.042,-. De salarissen worden overigens nog door het schoolhoofd in contanten bij de bank opgehaald en daarna aan ieder van ons aan het eind van de maand in de hand uitgeteld. Het bundeltje bankbiljetten gaat in de tas mee naar huis.

Het gaat dus goed in Nederland, maar met de stijgende welvaart verandert ook het werkklimaat; het wordt minder gemoedelijk, tijd wordt geld, en dat is met de stijgende lonen ook letterlijk zo. Geld wordt een stuk abstracter, minder zichtbaar en voelbaar. Het hoofd van de school loopt al spoedig niet meer maandelijks naar de bank, heel Nederland krijgt het verzoek om een eigen bank- of girorekening te openen. De hier en daar nog steeds bestaande weeksalarissen worden afgeschaft.

De term consumptiemaatschappij doet zijn intrede.

Was voorheen op de pof kopen iets onfatsoenlijks, alleen iets voor arme mensen, nu begint kopen op afbetaling zijn intrede te doen. We willen niet meer wachten op luxe artikelen, dat hebben we in vroegere jaren genoeg moeten doen! Albert Heijn springt in op die behoefte aan luxe consumptiegoederen. De keten start met de Premie van de Maand-club, een spaaractie die ons helpt om dure elektrische apparaten voor een heel laag bedrag aan te schaffen. Via AH worden 145.000(!) koelkasten in Nederland gekocht, net als 270.000 elektrische blikopeners, naaimachines, centrifuges en andere aanbiedingen.

Buurtwinkels beginnen het te verliezen van de supermarkten, de ene na de andere zal de deuren gaan sluiten. Ook aan de voordeur wordt het een stuk rustiger, nu de lonen stijgen, mankracht duur begint te worden en iedereen een bank- of girorekening heeft. De leveranciers komen niet meer aan huis, de klant gaat nu zelf naar de leveranciers toe. De bakker, groenteman, melkboer, slagersjongen, bloemenkoopman, visventer, de oud ijzerman, de besteller van dag- en weekbladen, de lopers van verzekeringen en weekbladen… ze verdwijnen een voor een uit het straatbeeld.

V&D gaat als een van de eersten over op open stellingen in de warenhuizen. De dames achter de toonbanken verdwijnen, de artikelen zijn voortaan, net als in de eerste supermarkten, zomaar zichtbaar én grijpbaar uitgestald. Een revolutionaire ingreep, die de klant veel vrijheid biedt, maar ook verbijsterde reacties oproept: zo kan iedereen toch gewoon met van alles ervandoor gaan?! Het went snel en andere winkelketens ruimen eveneens hun toonbanken op. De klant wil immers niet meer wachten, al wist hij dat zelf nog niet eens.

Door de toenemende welvaart begint ook uit-eten-gaan al wat gewoner te worden. Vooral 'de Chinees' blijkt een springplank. Het eten is daar compleet anders dan die warme prak thuis, spannend dus, en het is er vooral goedkoop: in 1963 kost een uitgebreide Indonesische rijsttafel voor twee personen fl. 9,50.

Welvaart. Maar zo zouden wij het in de huidige tijd nog niet noemen. Uit een onderzoek uit 2010 blijkt bijvoorbeeld dat we in Nederland gemiddeld vier keer zoveel ruimte ter beschikking hebben dan in 1960. En ja, ik ken een gezin van vader, moeder en vier zoons, dat in 1960 een flat kreeg toegewezen. Zes personen deelden er twee kleine woonkamers, een wc en drie kleine slaapkamers. Verder was er één keukenkraan en een lavet (een hoge, ronde granieten bak) als een heel klein formaat bad, waarin je ook kon douchen of de was laten weken.

Hoewel de naoorlogse wederopbouw wordt afgesloten, is de woningnood nog steeds schrijnend en wordt er flink doorgebouwd. Krotten worden afgebroken, doorzonwoningen komen ervoor in de plaats en ook in deze jaren blijven veel jongeren gewoon thuis wonen totdat ze gaan trouwen.

Wonen is naar huidige begrippen nog goedkoop. Een voorbeeld. In 1968 kopen wij een dubbel woonhuis (boven- én benedenwoning), gebouwd in de twintiger jaren van de vorige eeuw. Toen zal dat hele pand voor ongeveer fl. 10.000,- verkocht zijn. Veertig jaar later, in de zestiger jaren, kopen wij het voor fl. 25.000,-. Veel geld! Het is dan ook een noodsprong, want door de woningnood komt een huurhuis voorlopig echt in zicht. De bovenwoning brengt fl. 75,- aan huur op. Desondanks schrikken mijn schoonouders zich wild van de hypotheek, die na dertig jaar moet zijn afgelost. Dat wij ons in zulke enorme schulden durven steken, het zou onze financiële ondergang kunnen betekenen! Als we tien jaar later verhuizen, verkopen we beide woningen samen voor fl.150.000,-. Weer twintig jaar later zouden de twee huizen minstens fl. 600.000,- hebben opgebracht. Zo hard ging het wel sinds de tweede helft van de jaren zeventig.

Voor de ouders in de jaren vijftig was het vaak al prima als hun kinderen ergens een vaste baan hadden bij een goede baas en daar dan vijfentwintig jaar bleven. Na zo'n langdurig dienstverband kreeg de werknemer van die baas dan als waardering voor deze trouwe dienst een speech ('... onze rots in de branding... altijd plichtsgetrouw...'), een half salaris en een horloge-met-inscriptie. Het onderscheid tussen de werknemer en de baas was steeds groot, maar in dit nieuwe decennium worden de muren tussen de verschillende standen afgebroken. Hoeden en petten worden minder afgenomen, worden trouwens ook steeds vaker thuisgelaten en ouders willen vooral dat hun kinderen gaan doorleren; willen juist vaak *niet* meer dat ze in hun vaders voetsporen treden. Ze willen dat hun kinderen verder komen, het beter krijgen dan zijzelf.

Het idee van 'zo vader, zo zoon' wordt voor het eerst in de geschiedenis van het mensdom op grote schaal losgelaten. Ouders vertellen op verjaardagen trots dat hun kinderen na de lagere school doorleren. Zelfs het gymnasium is niet, zoals voorheen, hoofdzakelijk weggelegd voor de elite, studeren is nu voor iedereen, ook arbeiderskinderen komen op de universiteiten. De keerzijde is dat die kinderen vaak meer weten dan hun ouders en soms weggroeien van familietradities. Dat kan pijn doen.

Voor de Nederlandse burger staan in deze jaren twee artikelen hoog op het wensenlijstje en ze worden ook volop aangeschaft: een auto en een televisie. Van alle snelle veranderingen die zich in de jaren zestig voordoen, zijn het vooral deze twee (nog heel kostbare) bezittingen, die zorgen voor sociale aardverschuivingen. Auto en televisie maken, elk op zijn eigen manier, onze leefwereld groter: de een letterlijk, de ander figuurlijk. We beginnen daarmee over onze eigen beperkte grenzen heen te kijken en Nederland verliest voorgoed zijn kneuterigheid.

Velen schaffen nu ook telefoon aan, waardoor ook langs die weg het contact met de wereld buitenshuis gemakkelijker wordt en we gaan ook vaker op vakantie, waardoor we kennis maken met ander voedsel, andere culturen, andere leefwijzen. Maar grote groepen veroorloven zich nog geen vakantie, omdat ze de inrichting van het huis of de aanschaf van goederen voorrang geven.

Het gaat dus goed met de economie. Zó goed dat de 'blauwe boorden' (de arbeiders in hun blauwe overalls) voortaan ook 'witte boorden' willen zijn en hun neus beginnen op te halen voor het zware, vuile, of ongeschoolde werk. Werk dat intussen wél gedaan moet worden. Door die scheve balans tussen vraag en aanbod van arbeidskrachten worden de eerste gastarbeiders naar Nederland gehaald. Die eerste groep bestaat voornamelijk uit Spanjaarden en Italianen. In 1962 zingt de Duitse Conny Froboess haar hit *Zwei Kleine Italiener*: '*... eine Reise in den Süden ist für and're chic und fein, doch zwei kleine Italiener möchten gern zu Hause sein...*'

Die eerste gastarbeiders zijn welkom, zoals al blijkt uit het woord zelf. Ze zijn nodig en ze brengen een vleugje exotische sfeer in onze polder. Maar deze groepen Zuid-Europeanen houden het al snel voor gezien en gaan, een ervaring rijker of armer, terug naar huis. De volgende golf vreemdelingen komt uit het armere Griekenland. Ook zij zien hun dromen niet waargemaakt en vertrekken. Vanuit de plattelandsgebieden van Turkije worden grote groepen Turkse mannen naar ons land gehaald. De Turken wonen met vieren of zessen in één kamer; ze willen snel geld verdienen en daarmee even snel weer naar huis. Wanneer die mannen de benauwenis van zo'n propvol pension even willen ontvluchten, gaan ze naar de stationswachtkamers; dat zijn de openbare ruimtes, waar warmte, licht en medemensen zijn en een consumptie niet verplicht is. Daar ontmoeten ze elkaar in steeds grotere groepen. Nu krijgen we in ons land voor het eerst te maken met de vraag wat discriminerend gedrag is. Nederlanders worden wantrouwend. Oppassen voor die eenzame mannen met hun zuidelijk temperament, die natuurlijk allemaal maar één ding willen. De zedelijkheid van onze jonge maagden staat op het spel! De Turken blijken niet net zo snel te vertrekken als hun voorgangers en dat geldt nog sterker voor de na hen komende Marokkanen. West-Europa heeft onvoorzien en onbedoeld een geest uit de fles gelaten die zich niet meer terug laat stoppen.

***Godsdienst***

Ook in 1960 trekken de processies nog door steden en dorpen en de katholieke geestelijkheid is zoals altijd heel zichtbaar in het straatbeeld. De kerken zitten vol en de zuilen staan nog stevig overeind. De verschillende jeugdverenigingen bloeien zoals voorheen, er is veel idealisme en er wordt volop aan vrijwilligerswerk gedaan.

Nog wel.

Het duurt echter niet lang voordat de scheuren zichtbaar worden, duidelijk, snel en onomkeerbaar. Het geheel van sociale contacten begint losser te worden, want wanneer je hulp nodig hebt, op welke manier ook, kun je voortaan een beroep doen op de Staat.

In 1962 roept de paus het Tweede Vaticaans Concilie bijeen, waarin alle bisschoppen van de wereld zitting hebben. Hij doet hiermee een poging om de reeds ontstane kloof tussen geloof en maatschappij te overbruggen. Het resultaat: veel vernieuwing en modernisering in de r.-k. kerk. De priester staat voortaan met het gezicht naar het volk. Om in de Heilige Mis ter communie te gaan hoef je niet langer nuchter te blijven, dus komen er avondmissen. De gebeden zijn voortaan in het Nederlands in plaats van het Latijn.

De al te overdadige heiligenbeelden verdwijnen, net als het lof, veel processies, het gezamenlijke rozenkransgebed en de biecht. De habijten van de kloosterlingen worden een stuk eenvoudiger of worden helemaal afgeschaft. Veel kloosters sluiten hun deuren; de nonnen en paters gaan in gewone huizen wonen.

Beatmissen moeten in de statige kerkgebouwen de jongeren gaan aantrekken. Vrolijke melodieën van jongerenkoren, begeleid door gitaren en drums, vervangen de gewijde gregoriaanse gezangen. Maar het is te laat. Het tij is niet meer te keren, de verwarring slaat toe en de grote leegloop begint. Het eerst bij de leken, maar ook al spoedig bij de geestelijkheid. Vanuit mijn katholieke achtergrond heb ik de ontkerkelijking binnen het katholicisme meegemaakt. Ik hoor nog hoe mijn zeer katholieke schoonmoeder, met een bibberende stem van totale ontreddering, aan de pastoor die op bezoek kwam, vroeg: 'Maar meneer pastoor, zijn we dan al die tijd voor de gék gehouden...?!' 'Nee, natuurlijk niet,' zei meneer pastoor, maar verder kon hij het ook niet zo goed meer uitleggen.

Hoewel in het katholicisme het eerst en het meest zichtbaar, speelde een dergelijk proces zich ook bij de protestanten af.

### *De televisie*

Massaal beginnen we televisies te kopen. Omdat er nog maar één Nederlandse zender is, kijkt iedereen naar dezelfde programma's en die worden de volgende dag dan ook grondig besproken; op het werk, met de buurvrouw, in de winkel.

In 1962, nog aan het begin van het televisietijdperk, is er die ene ongelooflijke vierentwintiguursuitzending van *Open het Dorp*. Doel: voor lichamelijk gehandicapten een compleet nieuw te bouwen dorp in één keer financieel van de grond te trekken, mét alle noodzakelijke voorzieningen die daarbij horen. Presentatrice Mies Bouwman staat een etmaal lang live op de planken en schrijft historie. Ze wordt soms bijna letterlijk onder de voet gelopen, want niet alleen het geld stroomt binnen, maar ook al die weldoende mensen, die zo heel graag even met hun gezicht op de beeldbuis willen komen. ('Heb je me gezien, Mien? Heb je me gezien? Ik stond tussen die vierendertig collega's die...') Het is vierentwintig uur lang een gekkenhuis en een rommeltje, maar het is vooral leuk en spannend, want we zijn dan nog helemaal niets gewend!

Hoe kon men in die tijd trouwens binnen vierentwintig uur heel snel heel veel geld inzamelen? Bank- of girorekeningen waren nog bepaald geen gemeengoed, evenmin als de telefoon. Nou, gewoon: contant geld in een leeg lucifersdoosje doen en dat naar de dichtstbijzijnde kerk, brievenbus of kruidenier brengen, waar je het in goed vertrouwen achterlaat. Simpel toch? Corruptie? Beroving? Zelf achterhouden? Natuurlijk was dat theoretisch allemaal mogelijk, maar zo slecht zullen de mensen toch niet zijn?! En blijkbaar zijn ze dat ook niet, want we brengen met z'n allen (zo'n elf miljoen inwoners) drieëntwintig miljoen(!) gulden op, een voor die tijd gigantisch bedrag.

Het medium wordt in dit decennium snel volwassen en zorgt er tevens voor dat het gezinsleven drastisch verandert.

Tot aan de komst van het televisietijdperk was de eettafel steeds de centrale plek in huis geweest. Daar was het belangrijkste lichtpunt en daar zat het gezin 's avonds bijeen met krant, huiswerk of verstelwerk, luisterend naar de radio, spelletjes spelend, ruziënd, lezend, zingend, pinda's doppend... Er waren wel schemerlampjes, maar daar kon je verder niet veel bij doen. Nu wordt voortaan de plek waar de televisie staat het centrale punt in de kamer. We zitten dan ook niet meer met zijn allen in eetkamer of woonkeuken, maar in de 'mooie' kamer, want dáár staat-ie, dat toestel. Tot dan stonden daar losse stoelen. Als er visite kwam, kon je daarmee schuiven zodat iedereen elkaar kon zien. Nu de televisie ons allemaal naar dat ene centrale punt laat kijken, worden bankstellen aangeschaft. We kijken naast elkaar, in plaats van naar elkaar. En we zwijgen.

Omdat de moeders meekijken, de welvaart is toegenomen, de gezinnen kleiner zijn geworden én omdat de vrouwen soms nog door blijven werken na hun huwelijk, worden de 'nuttige handwerken' verdrongen naar het terrein van de hobby. Weer een generatie verder lijken die zelfs al een zachte dood te zijn gestorven. Wie kan het nog: moeilijke patronen haken en breien, sokken stoppen, gaten in truien mazen, scheuren in katoen verstellen, boorden en manchetten keren, kleren, lakens en servetten naaien. Wie kent nog het verschil tussen de platstiknaad en de opengewerkte naad? Ook het zingen, de spelletjes en de doppinda's verdwijnen. Zelfs de notoire tegenstanders uit de jaren vijftig ('televisie maakt de huiselijke gezelligheid kapot!') kijken voortaan 's avonds zwijgend naar het blauw-wit flakkerende scherm en wie niet wil meekijken moet noodgedwongen zijn heil elders zoeken. Zo krijgen slaapkamers als vanzelf ook een functie van werk- of hobbyhoek, temeer omdat overal in de huizen centrale verwarming wordt aangelegd.

In een periode van tien jaar heeft de tv een vaste plaats ingenomen. De vraag 'wat is er op de televisie?' beheerst voortaan de avond in miljoenen gezinnen. Het tweede Nederlandse net gaat in 1964 van start, dus we hebben nu iets te kiezen: de speelfilm of die natuurdocumentaire? Het kan ook tot woedende machteloosheid en frustratie leiden, want: *wie* bepaalt waarnaar we gaan kijken? De eerste kleurentelevisies zijn ook al te koop, maar die kosten meer dan een gemiddeld maandloon. Er komt grootbeeld, de toestellen worden gemakkelijker te bedienen en bij flatgebouwen wordt de centrale antenne al gemeengoed.

Vanaf de start is *Het Journaal* het meest bekeken programma. Het wereldgebeuren, tot dan alleen in de bioscoop te zien geweest, komt elke dag in bewegende beelden het huis binnen. Actualiteitenprogramma's als *Achter het Nieuws* of *Brandpunt* trekken veel kijkers. De kijker maakt kennis met nieuwe inzichten en meningen en die weet dan ook steeds beter wat er in de wereld allemaal aan de hand is. Het wordt ook duidelijk dat je op meer dan één manier kunt kijken naar maatschappij en politiek. De gesloten wereld waarin bijna iedereen eeuwenlang had geleefd en door krant en radio al scheuren waren gemaakt, wordt zo definitief opengebroken.

Het satirische programma *Zo is het toevallig ook nog eens een keer* veroorzaakt een enorme rel als het in een item tegelijkertijd de tv-verslaving én de ontkerkelijking op de hak neemt met een quasi-Onze Vader: '... en geef ons heden ons dagelijks programma. Wees met ons, oh Beeld, want wij weten niet wat wij zonder u zouden moeten doen...' De scène leidt tot een storm van verontwaardiging, zelfs tot vragen in de Tweede Kamer. 'Hebben ze dan helemaal nergens meer respect voor?!'

De TROS doet zijn intrede, met vooral heel luchtige programma's. Het is de eerste 'vrije omroep', niet meer gebonden aan een van de zuilen.

***De auto***

Ook de opkomst van de auto brengt nieuwe ontwikkelingen met zich mee. 'Iedereen' gaat een auto kopen zo gauw het kan, maar voor velen kan het nog niet. Alleen al die dure rijlessen! In 1964 biedt een rijschool de eerste tien lessen aan voor vijfenveertig gulden. Elke vervolgles gaat dan wel weer zes gulden kosten, zoals overal.

De automarkt raakt overstroomd met merken en modellen. Er is veel te doen over de voor- en nadelen van die verschillende automerken. Welke zullen eerder doorroesten dan andere? Welke hebben voorwielaandrijving en waarom? Zijn ze ja of nee erg zijwindgevoelig? Welke motoren zullen eerder gaan koken op een bergweg? Welke hebben het motorblok voorin liggen in plaats van achterin en wat zijn daarvan de voor- en nadelen? En dan de belangrijkste vraag natuurlijk: welke zijn het goedkoopst? De 'Lelijke eend', de Fiat 500 en de DAF; die zag je dan ook veel rijden.

Maar... welke auto dan ook, op den duur zullen ze allemaal roesten. Het kleinste plekje roest kan al spoedig leiden naar een doorgeroeste deur, spatbord, bodemplaat of zelfs de hele auto. Er rijden barrels rond waar je door de gaten in de bodemplaat de weg onder de auto voorbij kunt zien schuiven. Apk bestaat niet en de politie let vooral op overtredingen en op al te gladde banden. Verder mag zo ongeveer alles wat nog rijdt ook nog wel de weg op.

Goed bijhouden dus, die auto. Liefst elke week wassen. Daarom staat half Nederland op zaterdag met emmer, spons en zeem aan de straat te plonzen en te spatten (wasstraten moeten nog komen), om daarna, eigenlijk minstens eens per maand, de auto in de was te zetten. In- én uitpoetsen. Tegen het roesten ja, maar toch ook omdat de auto nog een kostbaar bezit is, dat goed onderhouden wordt. Die was- en poetsbeurten zijn vaak een taak van de kinderen (die daar echt niet voor betaald worden).

Door die auto is het niet langer noodzakelijk dat de werkplek op loop-, fiets- of busritafstand van de woning ligt. Werknemers worden minder honkvast, want verbetering van de maatschappelijke positie wordt nu belangrijker dan de vraag waar die werkplek te vinden is. Daardoor, en ook omdat vrouwen soms al een tijdje blijven doorwerken na hun huwelijk, verschuift het tijdstip van de warme maaltijd vrij algemeen van de middag naar de avond.

Niet alleen de auto doet zijn intrede, ook andere vervoermiddelen worden luxer. De fiets met terugtraprem, het meest gebruikte middel van vervoer, krijgt nu vrij algemeen handremmen en versnellingen. De solex, ooit als fiets-met-hulpmotor al heel wat, wordt letterlijk en figuurlijk gepasseerd door zwaardere, snellere en vooral lawaaiiger brommers. En heel veel jongeren kopen een scooter, een motorvoertuig dat is overgewaaid uit zuidelijker streken van Europa. Maar ja, met strakke rokken is het moeilijk elegant op te stappen en om de getoupeerde kapsels en make-up bij regen en wind in model te houden, valt ook niet mee. Scooterrijders stappen een paar jaar later alsnog massaal over naar hun eerste eigen vierdehands autootje.

Met de aanschaf van de auto worden Nederlanders een stuk mobieler en er worden veel uitstapjes gemaakt. Je kunt nu in korte tijd met het hele gezin ver weg zijn. Berucht zijn deze 'zondagsrijders'.

Er wordt al geklaagd over 'propvolle wegen' en 'die stinkauto's' en 'al dat blik voor de deur'. Nederland begint ook voor het eerst kennis te maken met parkeerproblemen; een Amsterdamse politiecommissaris stelt zelfs serieus voor om de grachten te dempen en daar parkeerplaatsen van te maken. Voor het probleem van de groeiende files wordt de oplossing gezocht in nieuwe wegen. Steeds meer wegen.

Aan het begin van dit decennium kun je nog gewoon met drank op achter het stuur gaan zitten; het hoort niet, het mag niet, maar ja... Nu beginnen de alcoholcontroles. Sjakie Schram zingt in 1966 het populaire lied: 'Glaasje op, laat je rijden, dat is een goede raad, wanneer je wat onzeker op je benen staat. Maak de borrel die je drinkt niet extra duur. Glaasje op?

Niet achter het stuur!' Tot diep in de zeventiger jaren wordt het verbod overigens niet erg serieus genomen en rijden we met z'n allen ook na stevig doordrinken nog wel gewoon naar huis. De controles? Och, nog weinig kans op.

***Eropuit***

De recreatie-industrie begint een echte bedrijfstak te worden.

Waren we in de jaren vijftig nog tevreden met een dagje naar het strand, de speeltuin of een picknick in het bos, in de zestiger jaren worden we veeleisender. We rijden naar de Bollenstreek, de Veluwe, de nog kleine Efteling, of naar het safaripark Beekse Bergen dat net geopend is.

Door de auto, de langere vakanties en de hogere lonen begint ook het massatoerisme op gang te komen. We ontdekken het buitenland: de Duitstalige landen voor wie wel op vakantie wil, maar zich zoveel mogelijk 'zoals thuis' wil blijven voelen, Frankrijk (of Italië) voor de avontuurlijker ingestelde mens. Vooral Frankrijk voelt voor ons als een vreemd, bijna exotisch land. De mythe is dat je genoeg hebt aan een fles wijn, een stokbrood, een stuk Franse kaas en een paar zon-doorstoofde tomaten (allemaal in Nederland nog nauwelijks bekend) om er gelukkig te zijn; de zon en het land zelf doen de rest. We nemen dan wél waterzuiveringstabletten mee op vakantie, en norit tegen de diarree, want met al die de olijfolie…

De taal en de bewegwijzering zijn weliswaar vaak een ramp en om boodschappen te doen in die piepkleine winkels zonder zelfbediening, in een vreemd land waarvan we de taal niet spreken, valt echt niet mee, maar dat hoort bij het avontuur. En het leven daar lijkt nog zo eenvoudig, zo'n feest. Zoiets als wat wij tien jaar geleden nog kenden, maar al voorgoed verloren is.

En we gaan kamperen. In een tent. Een caravan is vooralsnog voor de rijken; een trekhaak aan de auto geldt als een statussymbool. Ook de eerste vliegvakanties naar verder weg liggende oorden beginnen klanten te trekken. Naar Nice of Cannes, naar Mallorca of de kusten van Spanje en Italië. Alle clichés erover hoor je terug in de liedjes van die jaren: 'Ik ben op vakantie in Spanje geweest, het land van de lach en de zon...' 'Middellandse Zee, souvenir van een zomer, enkel al het woord is als wijn op de tong...' En ook Toon Hermans roept verlangen op naar die magische oorden: 'Méditerranée, zo blauw, zo blauw...' We dansen met z'n allen de Griekse sirtaki, al zijn we nooit in Griekenland geweest.

Vooral jongeren maken gebruik van al die mogelijkheden, zij beschikken nu over eigen geld, al is het ook nog steeds wel gebruikelijk om een flink deel van het loon thuis af te geven.

Maar hoe dan ook, wie zuidwaarts gaat, heeft in elk geval één dure plicht: bruin terugkomen! Dat moet. Bruin zijn betekent dat je 'daar' bent geweest en dat je vakantie vast heel geslaagd was. Vóór de vraag: *hoe was je vakantie* kwam het oordeel al: wat zijn jullie bruin geworden!

Pinautomaten, pasjes of betaalcheques bestaan niet. Op vakantie gaan betekent daarom: veel contant geld meenemen en daar dan steeds heel goed op blijven letten. Je kunt wel Amerikaanse travellercheques meenemen, die je in elke grotere bank moet kunnen inwisselen, maar omdat beide partijen daar behoorlijk onbekend mee zijn, kost het heel veel tijd en moeite. De plaatselijke bankmedewerkers in een willekeurig dorp hebben die nog nooit gezien en begin daar dan maar eens aan in zo'n vreemde omgeving, waar soms alle medewerkers in de bank wantrouwend beurtelings naar de cheque en naar jou staan te kijken.

Eind zestiger jaren worden de eerste bungalowparken gebouwd. Grote huisjes, comfortabel ingericht met kleuren-tv en ligbad. Luxe! Maar de kerstweek kost dan al wél fl. 235,-!

***De grote wereld***

Op wereldniveau gebeuren heftige zaken, waar we door de televisie nu met de neus bovenop staan.

De Koude Oorlog woedt in alle hevigheid verder. Nucleaire tests en ondergrondse kernproeven van beide kanten maken de burger bang. We zijn nu niet meer zo naïef als tien jaar geleden, toen we nog dachten met een paar emmers water en een vergiet op het hoofd een atoomoorlog te kunnen overleven. Maar hoe dan wél? Geen idee.

In 1961 bouwt Rusland een hoge betonnen muur om Oost-Berlijn heen. Het is een klap in het gezicht van het westen, maar vooral van de Amerikanen, die na de oorlog West-Berlijn beheren.

In 1962 scheert de mensheid rakelings langs de afgrond, waarbij miljoenen mensen de dood hadden kunnen vinden in een echte kernoorlog. De situatie is de geschiedenis ingegaan als de Cubacrisis. Cuba, vlak voor de kust van de Verenigde Staten gelegen, is na een revolutie communistisch geworden, onder de nieuwe president Fidel Castro. Castro vindt in Rusland een steunende vriend en geeft Chroesjtsjov daarom toestemming om raketbases te bouwen voor raketten met kernkoppen, die direct gericht staan op de VS, vlakbij. Russische schepen stomen nu met hun lading op, richting Cubaanse bases. President Kennedy dreigt dat, wanneer een aangegeven rode lijn op zee overschreden wordt, Amerika met scherp zal gaan schieten. De Amerikaanse vloot heeft zijn posities ingenomen, de Russen blijven doorvaren. Een directe confrontatie tussen de twee atoommachten dreigt. De wereld houdt de adem in… Een diepe zucht van verlichting trekt over de wereld wanneer de Russische schepen vlak voor dat punt zero de steven wenden en omkeren.

We waren bezorgd en bang, maar zouden verlamd van angst zijn geweest als we geweten hadden hóé dicht de wereld toen tegen een atoomoorlog aan zat. Later werd bekend dat Kennedy zelf de kans op een kernoorlog op dat moment had ingeschat als 35-50%!

Zelfs in de ruimte gaat de tweestrijd tussen de VS en Rusland door. De Russen hebben ervaring opgedaan met het lanceren van satellieten en onbemande raketten en de Verenigde Staten lopen fors achter. De Amerikanen beginnen een inhaalslag en willen dat in 1969 de eerste mens op de maan rondloopt. En die eerste mens moet een Amerikaan zijn! Dat lukt ook en Neil Armstrong spreekt zijn beroemde zin vanaf het maanoppervlak: 'Een kleine stap voor de mens, maar een grote stap voor de mensheid'.

Nog steeds bestaan er in Afrika en Azië talloze koloniën, vooral Engelse en Franse. Deze eisen steeds luider hun onafhankelijkheid op. Soms wordt in dit decennium zelfbestuur gegeven, soms moet dat worden afgedwongen.

De nawerking van zo'n onafhankelijkheidsstrijd speelt zich lange tijd direct voor de ogen van de wereld af. De voormalige Franse kolonie Indochina wordt het vrije Vietnam, maar het lukt de regering in het zuiden niet om de opstandelingen in het noorden onder controle te krijgen. Deze, de communistische Vietcong, weet zich gesteund door Rusland en China. Frankrijk steunt de regering in het zuiden, maar hun taak wordt al snel overgenomen door de VS. Amerika vreest namelijk dat na Vietnam heel Zuidoost-Azië in de communistische invloedssfeer zal komen te liggen. President Kennedy noemt het de dominotheorie: wanneer Zuid-Vietnam onder de voet wordt gelopen, zullen andere landen in Zuidoost-Azië, als een lange serie omvallende dominostenen, volgen. Dat nooit! De invloed van Rusland mag niet groter worden dan die toch al is!

Kennedy, Johnson, Nixon, Amerikaanse presidenten blijven volhouden dat het de goede kant opgaat met de oorlog en dat met nóg wat extra troepen, geld en materieel... Op het hoogtepunt van de Vietnamoorlog zijn 500.000(!) Amerikaanse soldaten in Zuid-Vietnam samengebald en de wereld maakt voor het eerst kennis met wat een guerrilla-oorlog gaat heten. Snelle, wendbare en schijnbaar onvermoeibare muizen bevechten de veel grotere, maar logge olifant. Cameraploegen uit de hele wereld hebben voor het eerst (en voor het laatst!) overal vrije toegang en brengen 'de smerige oorlog' direct in de miljoenen huiskamers. Uiteindelijk, in 1975, heeft de muis gewonnen en heeft Amerika een grote nederlaag geleden.

Vanaf het begin ontstaat in de Verenigde Staten zelf, maar ook in de rest van de wereld, veel weerstand tegen deze 'dirty war'. Liederen van zangers en popgroepen, demonstraties, pamfletten, petities, collectes, het openlijk verbranden van militaire oproepen en spreekkoren van over de hele wereld brengen de VS dagelijks in verlegenheid. '*Hey, hey, LBJ* (= president Johnson), *how many kids did you kill today?!*' Ook in Nederland komt het tot heftige anti-Amerikaanse betogingen. De Engelse popmusicus John Lennon en zijn kersverse vrouw Yoko Ono brengen hun huwelijksweek in het Hilton in Amsterdam door met een bed-in, waarmee ze protesteren tegen de Vietnamoorlog. Daarnaast financieren ze de productie van reusachtige posters, die in een aantal hoofdsteden van de wereld worden opgehangen met de tekst: '*War is over... if you want it*'. Niemand hoeft zich af te vragen welke oorlog bedoeld wordt.

In 1963 vindt de moord plaats, die als een schokgolf door de wereld gaat: 'President Kennedy is doodgeschoten!' Het is zo'n gebeurtenis waarover je jaren later aan een willekeurige tijdgenoot kon vragen: 'Wat deed jij, waar was je op het moment dat je hoorde dat Kennedy was neergeschoten?' en dat die ander dat dan ook precies wíst!

Een paar jaar later wordt ook Martin Luther King door een kogel gedood. Hij is de onvermoeibare, charismatische voorvechter voor de strijd om gelijke burgerrechten van de Amerikaanse zwarte bevolking. Deze afstammelingen van vroegere slaven worden in delen van de VS nog steeds behandeld als tweederangs burgers, maar nu begint het emancipatieproces grondig op gang te komen. De zwarte bevolking kan nog steeds niet in alle openbare gelegenheden vrij naar binnen gaan en nog altijd zijn er restaurants, zitplaatsen in de bus, scholen en restaurants 'alleen voor blanken'. M.L. King volgt de methode van geweldloos verzet; liederen tegen knuppels. Hoogtepunt van deze beweging is de tocht van honderdduizenden, die optrekken naar Washington, waar King zijn beroemde rede houdt: '*I have a dream...*'.

Een kleiner deel van de zwarte bevolking bewondert King wel, maar vindt ook dat het proces via geweldloos verzet te langzaam gaat en met die onbetrouwbare blanken valt hoe dan ook niet te praten. Zij willen de veranderingen hardhandiger en militanter en nú afdwingen, vooral nadat Martin L. King is neergeschoten. 'Black Power'! Het afro-kapsel, een grote, wijde krullenbos om het hoofd, raakt in, en die onderstreept de 'black pride': '*Say it loud/ I'm black/I'm proud!*' Nog jarenlang gaan de rassenrellen door.

Ook in Zuid-Afrika zoekt de zwarte bevolking naar bevrijding van de onderdrukking door de blanke minderheid, die daar Apartheid heet. Nelson Mandela, oud-president van Zuid-Afrika en de beroemdste voorvechter tegen deze Apartheid, gaat in 1964 voor de volgende zevenentwintig jaar de gevangenis in, omdat hij schuldig zou zijn aan betrokkenheid bij spionageactiviteiten.

STOP
THIS "DIRTY" WAR

heijn
178
178
611
606

In deze jaren komt in het Verre Oosten Japan op als een nieuwe, serieuze wereldmacht en begint Mao Tse-Tung, leider van de Communistische Partij, in China aan zijn Culturele Revolutie.

***Jongeren. De geest is uit de fles.***

- Eigen jeugdcultuur
- Heilige huisjes worden neergehaald
- Muziek is de motor.

***Eigen jeugdcultuur***

Voor het eerst in de historie van de mensheid ontstaat in deze jaren een eigen jeugdcultuur, náást die van de volwassenen. Jongeren nemen niet meer vanzelfsprekend de normen van de ouders over, maar worden mondig en ze verzetten zich massaal tegen wat zij als muf ervaren in de maatschappij. Ze storten zich, op talloze gebieden, met graagte in het spannende en onbekende van deze nieuwe tijd. Bestaande waarden worden met groot enthousiasme overboord gegooid. Veel hindernissen moeten daarbij overwonnen worden, zowel in de maatschappij als in het ouderlijk huis en niet alles pakt even goed uit, wat voor een deel ook te wijten is aan de starre houding van opvoeders, regering en maatschappij. De maatschappij wordt nogal hardhandig wakker geschud en taboes worden doorbroken. En weer: de televisie speelt bij deze omwentelingen een cruciale rol.

Jongeren anno 1963 zien er nog keurig uit, kopieën van de ouderen. De jongens in pak met stropdas, de meisjes dragen jurk of rok en nylonkousen. Maar al heel spoedig begint zich in deze jaren een duidelijke scheidslijn af te tekenen tussen 'oud' en 'jong' en tussen die twee gaapt een diepe kloof. Zelfs een twintiger kan zich al vaak te oud voelen voor de enorme omwentelingen die binnen een paar jaar gestalte krijgen.

Hoe groot de veranderingen waren in heel korte tijd, is misschien te illustreren aan de hand van 'de mooiste dag van je leven'. In het begin van het decennium worden, vooral in de gegoede milieus, nog uitnodigingen verstuurd op een dubbele kaart. Aan de linkerkant: 'De Heer en Mevrouw X (ouders van de bruidegom-in-spe) hebben de eer de verloving aan te kondigen van hun zoon Y met mejuffrouw Z...' Rechts stond een identieke tekst van de ouders van mejuffrouw Z. Meestal was zo'n kaart de uitnodiging voor een heuse receptie (voor een verloving dus!). Een aantal maanden later viel dan opnieuw zo'n dubbele kaart op de mat, met een bijna identieke tekst. Alleen was het woord 'verloving' nu vervangen door 'voorgenomen huwelijk'.

Aan het einde van dit decennium is het al een ongelofelijk, prehistorisch gebruik geworden.

Nu centrale verwarming de kachel begint te vervangen én de gezinnen kleiner worden, veranderen de slaapkamers van 'de teenagers' langzamerhand in echte leefruimtes, waarin zij zich terug kunnen trekken met leeftijdgenoten, terwijl de ouders beneden voor de tv zitten. De brave verjaarspartijtjes in de woonkamer veranderen in heel wat wildere feestjes en de ouders zijn daar ook niet meer welkom bij. In garages, kelders en op zolders worden fuiven georganiseerd. De sfeer komt van de gasten, maar ook van de entourage, die gecreëerd wordt met gedempt licht, brandende kaarsen in flessen, visnetten met lege kruiken of flessen erin tegen het plafond, foto's van popsterren langs de wanden geplakt, afkomstig uit Nederlandse muziekbladen als de *Muziek Expres* of de *Tuney Tunes*. De gasten zitten op veilingkisten waar oude kleden overheen liggen. De muziek komt van een stapel singletjes, die op de nieuwe pick-up worden gedraaid. Het klassieke dansen, geleerd op de dansschool, is uit, schokkend dansen is in. Jongens drinken hoofdzakelijk bier, de meisjes fris en rode of witte martini. Mieters is het, om nu jong te zijn!

En er wordt gerookt. Heel veel gerookt. Een pakje sigaretten kost 60 ct.

Nog een voorbeeld van de razendsnelle ontwikkelingen in de jaren zestig. De succesvolle lange carrière van de zanger Rob de Nijs begint in 1963 met het lied *Ritme van de regen*. In dat jaar gaat hij op televisie gekleed als een al te keurige jongen in een net pak, stropdas om, de haren in een strakke scheiding. Even keurige jongeren wonen zijn optredens bij op stoelen in de zaal, eveneens allemaal in pak-met-stropdas of in een jurk. De opwinding wordt binnengehouden, er klinkt een heftig, maar keurig applaus. Bij optredens in 1967 draagt hij de haren lang, is gekleed in een hippie-achtige 'Afghaanse jas', swingt hij zelfverzekerd over het toneel, terwijl zijn publiek, even vrij en in bonte kledij gestoken, rokend en dansend om hem heen staat. Vier jaren later slechts, maar een wereld van verschil!

Ja, de jeugd grijpt de macht. Jongeren vluchten steeds meer weg van de controle van de ouders. Er ontstaat een eigen subcultuur, waarin niet langer plaats is voor ouderwetse autoriteiten die voorschrijven hoe zij moeten leven. Van die ouderen kan niet veel goeds komen, kijk maar naar de wereld zoals die is!

De aantallen maken het verschil. Nozems vormden de voorhoede van het jongeren-verzet, maar zij waren nog met weinigen. Vetkuiven die roken, drinken en stoer doen met een brommer, dat was het wel zo ongeveer. Nu leeft ineens een complete generatie in een eigen wereld, met hun eigen feesten, bladen, mode, muziek, rituelen en jargon. De jeugd keert zich massaal af van de consumptiemaatschappij die door hun ouders zo hogelijk gewaardeerd wordt. Piratenzenders als Radio Luxemburg, Radio Noordzee en Veronica draaien vierentwintig uur per dag de muziek die de teenagers willen horen. Popgroepen schieten als paddenstoelen uit de grond. Solozangers als Elvis Presley en Cliff Richard verliezen terrein. Beatles en Rolling Stones en vele, vele andere beatbands komen aanstormen. En de ontwikkelingen gaan vooral snel. Razendsnel. Turbosnel.

In navolging van de idolen worden de haren langer en dat begint met het *beatlekapsel.* Lang haar is hét symbool van verzet tegen de gevestigde orde, dus alleen al daardoor roepen jongeren de woede en de tegenwerking van de gevestigde orde op. 'Net een wijf', roepen de machteloze ouders en: 'Nu ga je naar de kapper, al moet ik je erheen slépen!' 'Beter langharig dan kortzichtig!' schreeuwen hun kinderen terug. In veel gezinnen breekt de revolutie uit en hele veldslagen worden uitgestreden achter keurige voordeuren. Ouders en kinderen staan elk aan een kant van de gapende generatiekloof. De kinderen vechten als leeuwen voor hun pas verworven vrijheid, die ze nog verder willen uitbreiden. Ze proberen stap voor stap die grotere vrijheid af te dwingen. Annie M.G. Schmidt schrijft in 1965 het liedje *Op een mooie Pinksterdag*, met de onsterfelijke regels: 'Vader is een hypocriet/Vader is een nul/Vader is er enkel voor de centen en de rest is flauwekul'.

In dat jaar is al een compleet andere wereld ontstaan.

Ouders die in 1963 nog moord en brand schreeuwden, omdat hun kinderen de colbertjasjes en stropdassen uitdeden, zich in (nette) truien hesen en *beatlehaar* droegen, verlangen een paar jaar later bitter terug naar die tijd, 'toen de jeugd er tenminste nog fatsoenlijk uitzag'. Want de Beatles, die in 1963 met hun langere haar, kraagloze jasjes en korte laarsjes veel opzien baarden, blijken achteraf toch heel beleefde en brave jongens in vergelijking met groepen die hen even later zullen volgen. Rolling Stones ('wat zijn dát voor engerds!?'), Pink Floyd, Frank Zappa, Jimi Hendrix… nieuw! rauw! Gedurfde teksten, die gaan over onvrede, rebellie, eigenzinnigheid.

Bob Dylan, protestzanger tegen wil en dank, zingt in 1964 dat een andere tijd is aangebroken. *The times they are a-changin* wordt door een hele generatie overal luidkeels met hem meegezongen. De tekst klinkt verontrustend voor de gevestigde orde:

*Come gather 'round people*
*Wherever you roam*
*And admit that the waters*

*Around you have grown*
*And accept it that soon*
*You'll be drenched to the bone.*
*If your time to you*
*Is worth savin'*
*Then you better start swimmin'*
*Or you'll sink like a stone*
*For the times they are a-changin'.*

*Come writers and critics*
*Who prophesize with your pen*
*And keep your eyes wide*
*The chance won't come again*
*And don't speak too soon*
*For the wheel's still in spin*
*And there's no tellin' who*
*That it's namin'.*
*For the loser now*
*Will be later to win*
*For the times they are a-changin'.*

*Come senators, congressmen*
*Please heed the call*
*Don't stand in the doorway*
*Don't block up the hall*
*For he that gets hurt*
*Will be he who has stalled*
*There's a battle outside*
*And it is ragin'.*
*It'll soon shake your windows*
*And rattle your walls*
*For the times they are a-changin'.*

*Come mothers and fathers*
*Throughout the land*
*And don't criticize*
*What you can't understand*
*Your sons and your daughters*
*Are beyond your command*
*Your old road is*
*Rapidly agin'.*
*Please get out of the new one*
*If you can't lend your hand*
*For the times they are a-changin'.*

*The line it is drawn*
*The curse it is cast*
*The slow one now*
*Will later be fast*
*As the present now*
*Will later be past*
*Your old road is*
*Rapidly fadin'.*
*And the first one now*
*Will later be last*
*For the times they are a-changin'.*

De kleding verandert snel van netjes in nonchalant en de spijkerbroek wordt het geliefde kledingstuk voor zowel jongens als meisjes. Hoe strakker, hoe beter. Vrouwen beginnen laarzen te dragen en die zijn níét bedoeld voor regen en modder.

***Heilige huisjes neergehaald***
De opvoeders weten nu letterlijk niet meer wat ze moeten doen. Ze willen zo graag in hun comfort-zone blij-

ven, maar dat kan niet meer. Ze kunnen zich niet meer afzijdig houden bij wat hun kroost allemaal beleeft en opeist en dus móéten ze de oude waarden waarmee zijn zelf zijn opgegroeid wel tegen het licht gaan houden. Ja, het zijn zware jaren voor de gevestigde orde!

In een proefschrift over nozemgedrag wordt in 1965 het begrip 'provo' geïntroduceerd, afgeleid van het woord provoceren. De schrijver verbaast zich over de grote groepen antiautoritaire jongeren, van wie het voornaamste doel is: autoriteiten in verwarring brengen.

Elke zaterdag komt een groep provo's bijeen bij het standbeeld van een straatschoffie op Het Spui in Amsterdam, Het Lieverdje. 'Provo is tegen kapitalisme, communisme, snobisme, professionalisme, dogmatisme en autoritarisme en roept op tot verzet waar het kan… Provo ziet in dat het de uiteindelijke verliezer zal zijn, maar de kans deze maatschappij althans nog eenmaal hartgrondig te provoceren willen wij ons niet laten ontgaan…' En provoceren doen ze! Elke week drijft de 'hasjlucht' over het plein. De drug wordt gezien als levensgevaarlijk, een directe bedreiging van de volksgezondheid, veel erger dan sigaretten en sigaren, waarover de eerste waarschuwingen nu beginnen op te klinken (en die overigens als onzin, overdreven gedoe en pesterij volstrekt worden genegeerd). De politie weet niet anders op de provocaties te reageren dan elke zaterdag, wekenlang, charges uit te voeren. Televisiecamera's staan er bovenop, waardoor de aanhang van provo groeit (agentje pesten!). Wat tot steeds grotere happenings leidt. En meer televisie-berichtgeving. En nog meer charges…

Twee jaar later heft de beweging zichzelf op. Provo, tegen instituties, wil zelf geen instituut worden. Hun gelanceerde idee van het wittefietsenplan voor Amsterdam heeft het niet gehaald, maar het werkt al vijftig jaar goed op De Hoge Veluwe.

Het is allemaal al erg genoeg, maar het gaat niet alleen om de jongeren, ook op heel veel andere fronten is de maatschappij heftig in beweging en groeit uit al te betuttelende jassen. Heilige huisjes staan flink te wankelen, om een paar jaar later alsnog definitief tegen de vlakte te gaan.

Het sleutelwoord bij al die protesten heet steeds 'democratisering', al weten zowel de voor- als de tegenstanders vaak nauwelijks wat ze daarbij precies moeten invullen. Het heeft in elk geval te maken met progressief en links tegenover behoudend en rechts en in elk geval met iets ánders dan wat tot nu toe gebruikelijk was.

Er valt dus voor links veel te protesteren in die jaren en dat gebeurt ook. We protesteren tegen werkelijk álles en we zijn niet meer zo bang voor het gezag. Politici die tot nu toe door journalisten eerbiedig met excellentie worden aangesproken, merken de veranderende normen: het vuur wordt hen nu danig aan de schenen gelegd. Voor de vanzelfsprekende eerbied en het respect voor titels en autoriteiten komt een hardnekkig en kritisch doorvragen in de plaats. D '66 (Democraten 1966), symbool voor een nieuwe politiek, schiet vanuit nulstand als een komeet de hoogte in en krijgt een groot aantal zetels in de Tweede Kamer. Eén van de oprichters, Hans van Mierlo, wordt de leider van deze partij. De leden willen een heel nieuw politiek bestel; dat muffe gedoe van die oudere heren in Den Haag moet maar eens danig worden opgeschud. Hans Wiegel is nu voor de VVD het jonge gezicht van rechts geworden en roept zowel hevig boegeroep als grote instemming op.

Het nog tamelijk nieuwe medium televisie brengt die veranderende normen en krakende gezagsverhoudingen elke dag in de woonkamer. Doet daar zelfs actief aan mee. Een voorbeeld. Het satirische programma *Zo is het toevallig ook nog eens een keer* veroorzaakt een enorme rel en in het programma *Hoepla* komt even, misschien twintig seconden, een jonge vrouw in beeld die de krant opvouwt waarachter ze verscholen zit en het beeld uit wandelt... helemaal bloot!! We blijven er nog een paar dagen over doorpraten, met instemming of met woede. Iedereen kent binnen een halve dag haar naam: Phil Bloom. Uit Engeland. 'Sodom en Gomorra!' roept de behoudende burger. De jonge schrijver Gerard Reve is in 1963 de eerste homo die op tv zijn coming-out heeft.

Prinses Margriet krijgt toestemming van ouders en parlement om met een gewone jongen uit het volk te trouwen. Maar ook het koningshuis komt onder vuur te liggen en wanneer kroonprinses Beatrix in 1966 met de Duitse Claus von Amsberg trouwt in het zeer roerige en zelfs ronduit grimmige Amsterdam ('Claus: *raus!*'), wordt een rookbom in de stoet gegooid. Twintig jaar na de oorlog ligt het feit dat Claus Duitser is – en zelfs lid was van de Hitlerjugend – nog zeer gevoelig in Nederland.

PSP
STOP!
NU!

VICTORY
NOW
VICTORY
HAIR
PEACE

Op middelbare scholen doet *Het Rode Boekje voor Scholieren* de ronde, afgeleid van *Het Rode Boekje* van Mao Tse-Tung in China. Ook daarin wordt opgeroepen tot opstand en verzet tegen leraren en lesstof. Dat niemand op dat moment eigenlijk weet wat er in China nou precies aan de hand is met dat Rode Boekje, doet er niet zoveel toe. Het gaat in elk geval om iets communistisch' = rood = links = revolutionair. En dat is blijkbaar genoeg.

Studenten van de toneelschool vinden dat de oudere acteurs ongeïnspireerd acteren, dat de regieopvattingen achterhaald zijn en dat suffe stukken worden gespeeld. 'Aksie Tomaat' maakt hardhandig duidelijk dat wat hen betreft ook hier het roer om moet. In enkele klassieke stukken worden gerespecteerde acteurs met tomaten bekogeld; sommigen van hen zullen daarna stoppen, omdat ze gewoon nooit meer het toneel op durven gaan.

De revolutionaire sfeer bereikt in 1968 de universiteiten, traditioneel dé bolwerken van gezag. Overal in Europa zijn er de studentenrevoltes; wekenlange bezettingen, sit-ins, boycots, demonstraties en eisenpakketten. Ook in Nederland. Eerbiedwaardige professoren wordt bij het hek van de universiteit de doorgang belet en hun kamers worden doorsnuffeld. Pé Hawinkels schrijft in *Het Nijmeegs Universiteitsblad* een dodelijk cursiefje over de nieuwe mensa, op dat moment juist de grote trots van de universiteit; studenten krijgen er voor een heel laag bedrag een verantwoorde warme maaltijd aangeboden.

'... Ze zeggen dat het roken van sigaretten longkanker kan opleveren. Maar heeft er wel eens iemand aan gedacht te onderzoeken hoeveel gevallen van maagkanker en andere kankersoorten bij academici hun oorzaak vinden in het feit dat deze mensen in de bloeiendste hunner jeugdjaren vijf jaar aan een stuk de ontstellende rotzooi moeten slikken, die men op de mensa durft voor te zetten, zonder blikken of blozen bewerend dat de voedingswaarde van dergelijke troep gecontroleerd zou zijn? De paardendiarree die hier voor spinazie doorgaat, de voze schapenkloten die men hier aardappelen noemt, de zeugmoederkoek die op het menu als rode bieten staat omschreven en het koeiengeil waar men ijskoud jus, zjuu of saus tegen zegt, ik ben ervan overtuigd dat dit in de eerste plaats direct schadelijk is voor de conditie (anderhalf uur na een mensa-maal voelt men weer een aller akeligst knagend hongergevoel) en op de lange duur onherstelbare schade aan de algemene gezondheidstoestand toebrengt. Daarom zou de studentenvakbeweging, in plaats van zoetjesaan te verburgerlijken, eens een goeie boycot van drie weken op de mensa moeten organiseren...'

***Muziek is de motor***

Het is vooral de muziek uit de zestiger jaren die aan de jeugd een eigen stem geeft. Terwijl de oudere generatie nog tevreden luistert naar de muziek van de vijftiger jaren, luisteren hun kinderen naar de rauwe teksten en muziek van de vele popgroepen. Deze muziek roept gevoelens op die de jongeren op alle mogelijke manieren willen uiten. De muziek wordt eigenlijk de belangrijkste scheidslijn tussen oud en jong en die scheidslijn komt voor het eerst duidelijk op gang met de komst van de Beatles, een van de eerste popgroepen en in elk geval de bekendste. Gillende meisjes, woeste taferelen bij optredens, het is een nieuw fenomeen. Voor de jeugd uit die tijd komen de Beatles als een soort bevrijders die hen een manier verschaffen om uit hun ingekapselde bestaan te komen. De Beatles zijn een tijdlang dé vertegenwoordigers van hun tijd.

Popgroepen en nieuwe platenmaatschappijen, ze schieten als paddenstoelen uit de grond ('pop' als afkorting en verzamelnaam voor 'populaire, eigentijdse muziek').

In een paar jaar tijd heeft de popmuziek grote opgang gemaakt en is het aanbod enorm. In de muziekwinkels, die ook met hun tijd mee moeten, worden aanvankelijk achter in de zaak hoekjes gecreëerd waar de jeugd naar hun eigen muziek kan luisteren, maar dat verandert snel. De rollen worden omgedraaid, de klassieke muziek en jazzmuziek verhuizen juist naar achteren.

### *Woodstock en hippies*

Het eerste mega-popfestival ter wereld wordt in 1969 georganiseerd. '3 Days of Peace & Music'. Nou ja, georganiseerd? Eigenlijk is er zo goed als níéts georganiseerd. 400.000 gelijkgestemden stromen toe en vinden elkaar op een enorm weiland bij het plaatsje Woodstock, veel en veel meer dan waarop was gerekend. Woodstock zal een van de belangrijkste en bekendste muzikale gebeurtenissen in de geschiedenis van de popmuziek blijken. De groten uit hun tijd komen er zingen. Er zijn minimale voorzieningen, er valt veel regen en alles verandert in modder, maar desondanks is het één groot feest.

Protestsongs (met betrekking tot de Vietnamoorlog) maken een groot deel van het repertoire uit. Woodstock wordt symbool én hoogtepunt van de muzikale 'sixties'. Het jaarlijkse Nederlandse Pinkpop is daarvan nog steeds één van de vele nazaten.

Woodstock is weliswaar een hoogtepunt, maar Californië is 'the place to be', vooral in de zomer van 1967: 'the summer of love'. De grootste gevechten tussen de generaties zijn wat geluwd, de volwassenen hebben het moede hoofd al deels in de schoot gelegd en nu breekt een optimistisch geloof door dat het de kracht van de liefde is die de wereld kan veranderen. *All You Need Is Love* van de Beatles wordt het volkslied van die subcultuur en het lied *If You're Going to San Francisco* ('*be sure to wear some flowers in your hair...*') wordt grijsgedraaid. Hippies uit de hele wereld komen naar Californië. Jongens en meisjes met lange haren, haarbanden en kralenkettingen, op sandalen of op blote voeten, zonder make-up en met een dromerige blik in de ogen, in wijdvallende kleding, vaak naar Indiase snit... '*Make love, not war.*' Aan willekeurige voorbijgangers worden bloemen uitgereikt: flowerpower. '*Peace, man!*' Veel weed en hasj, maar nauwelijks alcohol en harddrugs. Wat ze nastreven is vrijheid, spontaniteit, creativiteit en plezier, vredig leven in communes, wiet roken, thee drinken, luisteren naar psychedelische muziek... Een hele generatie lijkt er het volste vertrouwen in te hebben dat het met de wereld goed zal komen als je maar vrede nastreeft, als je maar in het nu leeft en je niet teveel bekommert om studie, carrière en geld, die allemaal behoorlijk verdacht zijn. Het tijdperk van de hippies loopt nog tot in de zeventiger jaren door.

Uiteraard wordt deze manier van leven niet altijd gewaardeerd door ouderen en zelfs niet door leeftijdgenoten. Bij de gevestigde maatschappij hebben hippies het imago van losbandige, op seks beluste blowende jongeren. De film *Easy Rider* gaat erover, evenals de musical *Hair*.

Het zijn maar kleine groepen die echt in zo'n subcultuur leven en dan nog vooral in de grote steden, maar hun ideeën hebben een grote, algemene aantrekkingskracht op jongeren, die onderdelen van deze cultuur overnemen. Overigens komt dat vaak niet verder dan het na-apen van de uiterlijkheden.

Wat Californië betekent op wereldschaal, wordt Amsterdam voor Europa. De trappen van de Dam zijn een zomer lang dag en nacht bevolkt door honderden jongeren van tientallen nationaliteiten: de Damslapers. Noch hun kleren, noch zijzelf zijn schoon te noemen. Ze moeten met een minimum aan bagage en geld hun dagen door zien te komen. Het stuit allemaal op hevige weerzin bij de gewone burgerij, dus wanneer een groep mariniers, op eigen gezag en gewapend met hun koppelriem op een dag de Dam bestormen en die met geweld schoonvegen, volgt wel een officiële berisping, maar is er toch ook sprake van veel heimelijke instemming. Het is goed dat tenminste iemand met durf dat 'langharig, werkschuw tuig' heeft verjaagd.

Eind zestiger jaren worden de bordjes alweer verhangen. Leek Californië twee jaar geleden nog het psychedelische centrum 'ergens aan de andere kant van de regenboog', in 1970 is het alweer gewoon een plek op de wereld geworden.

***Veranderende vrouwenlevens***

Ook meisjes konden min of meer 'per ongeluk' in een baantje rollen, maar een groot deel van hen gaat vanaf nu na de lagere school doorleren. Wel liggen de richtingen min of meer vast voor waar ze hun krachten in de maatschappij kunnen inzetten. Globaal komen drie richtingen in aanmerking: de verpleging, het onderwijs, of 'kantoor of winkel'. Voor dat laatste hoefden ze trouwens niet door te leren, dat leerden ze vooral in de praktijk.

In 1962 dient de 'sexuele revolutie' zich aan (ja, dan nog met een x geschreven). Voor het eerst in de menselijke evolutie kunnen vrouwen zelf de keuze maken: wel of geen kinderen krijgen, want er is nu een betrouwbaar middel waarmee ze zelf kan beslissen of ze zwanger wenst te worden. 'De pil' komt op de markt en die wordt ook direct met groot enthousiasme begroet. Die eerste anticonceptiepil, Lyndiol 2.5 is (te) zwaar en heeft bijwerkingen als depressie, gewichtstoename, zware hoofdpijn. Vanuit de medische wereld wordt gewaarschuwd tegen het te lang achtereen innemen, want op lange termijn is daar nog veel te weinig ervaring mee opgedaan. Het middel wordt ook maar voor een paar maanden of voor een half jaar tegelijk voorgeschreven. Na bijvoorbeeld een jaar, twee jaar, wordt aangeraden minstens een maand te stoppen, om te zien of alles nog in orde is. Mijn eigen huisarts vindt dat nieuwerwetse gedoe maar niets en schrijft elke keer voor maar drie maanden een recept uit. Bij elk bezoek zegt hij iets in de trant van: '... je zou toch zo'n lief moedertje zijn...' Ik stap over naar een andere arts.

Vrouwen blijven dank zij dit anticonceptiemiddel na hun huwelijk nu in groten getale doorwerken, maar zelden langer dan een jaar of twee, want de maatschappelijke pressie om kinderen op de wereld te zetten blijft heel groot. En de pressie om na de geboorte onmiddellijk te stoppen met werken, is zo mogelijk nog groter: 'Een goede moeder hoort thuis te zijn voor haar kind!' Werkende moeders komen dus nog nauwelijks voor, ook al omdat er geen opvang is. De televisie besteedt een programma aan het begrip 'sleutelkinderen', van die stakkers die met een sleutel aan een koordje om de nek zichzelf maar binnen moeten laten als moeder nog niet thuis is. De teneur van het programma laat zich raden: de moeders zijn te betreuren (als weduwe), of zijn egoïstisch (gescheiden, schande!) en de kinderen zijn de dupe. Deze traditionele opvattingen komen echter onstuitbaar op losse schroeven te staan. In 1965 vindt 82% van de Nederlanders werkende moeders niet acceptabel, vijf jaar later is dat nog maar 43%.

De mythe dat huishoudelijk werk vrouwen veel voldoening zou geven, wordt definitief doorgeprikt. Boodschappen doen kost in elk geval veel minder tijd, nu overal zelfbedieningswinkels in het straatbeeld verschijnen. Het gaat wel ten koste van talloze kleine winkeliers, die niet kunnen concurreren en hun deuren beginnen te sluiten.

In de katholieke kerk blijven de opeenvolgende pausen mordicus tegen welke geboortebeperking dan ook. Zorgende taken rond keuken, kerk en kinderen zijn en blijven volgens Rome het enige juiste domein voor de vrouw. Zelfs in 1969 krijgen de onderwijzeressen op katholieke lagere scholen nog vaak 'eervol ontslag' wanneer ze naar het stadhuis gaan.

Condooms zijn inmiddels vrij verkrijgbaar bij apotheek of drogist, maar worden nog steeds besmuikt en in een neutrale verpakking van onder de toonbank tevoorschijn gefrommeld.

Abortus is en blijft strafbaar als altijd, maar dat gebeurt nog steeds in onduidelijke achterkamertjes, met alle risico's van dien.

Door de anticonceptiemiddelen, de stijgende welvaart en de toenemende ontkerkelijking worden de gezinnen nu snel kleiner. De eerste stellen gaan openlijk 'hokken'. Het is een ongehoorde schande en de ouders van de betrokkenen schamen zich vaak net zo diep voor familie en buurt als de vorige generatie dat deed bij 'moetjes': 'Wat doe je ons aan?!'

***Het gewone leven gaat intussen ook gewoon door***

De veranderingen gaan in deze jaren zo razendsnel, dat een twintigjarige de zestienjarigen al kon ervaren als 'een andere generatie, waar ik niet meer bij hoor'. Laat staan de ouders! Alle oude zekerheden zijn op drift geraakt. Zelf opgegroeid met groot respect voor God en gezag, weten zij niet hoe ze hun kinderen moeten beschermen tegen de vloedgolven die ook op henzelf afkomen. Ze kunnen geen rolmodel meer zijn en hebben ook geen weerwoord op 'die jeugd van tegenwoordig', die ze pal voor hun ogen massaal naar de bliksem denken te zien gaan. Wat is dit voor een wereld geworden, waar al het bekende wordt uitgeroeid met wortel en tak, waar zedenverwildering welig tiert en gezagdragers worden uitgejouwd? 'Ze' moeten daar verdorie iets aan doen! Maar 'ze' weten het ook niet meer. Het zal nog een poos duren voordat de oudere generatie zich noodgedwongen neerlegt bij de veranderingen en om leert gaan met een totaal veranderde wereld.

Niet alleen in Nederland, maar in de hele wereld wordt men geconfronteerd met de nieuwe tijd. Links of rechts, jong of oud, beide partijen kunnen rekenen op de weerstand en minachting van de andere groep. Die tegenstelling is weliswaar van alle tijden, maar nu wel erg heftig.

Het is voor veel ouders belangrijk dat hun kinderen verder studeren: 'Zij moeten het beter krijgen dan wij'. Maar juist daardoor groeien kinderen in dit decennium soms ver van hun ouders weg en die moeten nu met onbegrip toekijken hoe familietradities en –beroepen, die soms al generaties in de familie bestaan, verdwijnen. Onder invloed van de nieuwe denkbeelden en opvattingen wil de jeugd zo snel mogelijk onder het juk van de ouders uit. De overbezorgde ouders moeten hun zoon of dochter loslaten in een maatschappij die ze zelf niet meer kunnen volgen, maar de kinderen leren al snel dat op kamers wonen niet altijd meevalt en merken tot hun eigen verrassing dat ze soms blij zijn met de hulp en bijstand van pa en ma.

De media brengen alle schokgolven wel uitgebreid in de krant en op de tv, maar meestal niet echt in ons eigen huis. Daar gaat het leven van de gewone burgers zoveel mogelijk gewoon door. Deze stilzwijgende meerderheid (en daar zitten ook veel jongeren bij!) gaat haar eigen gang. Zij zijn vooral bezig met die eeuwige andere grote (privé-)veranderingen: een baan zoeken, trouwen, kinderen krijgen en carrière maken. Zij houden vast aan het bekende en zijn op hun rust gesteld. Ze hebben plezier in de aanschaf van vooral materiële zaken en zoeken de leuke programma's op tv op, 'want er is al genoeg ellende op de wereld'. Ze luisteren ontroerd naar de 11-jarige Heintje, die in Nederland en Duitsland twintig miljoen platen verkoopt met zijn lied *Mama* en die dat succes daarna nog eens dunnetjes over doet met *Omaatje lief*.

Rond het thema wonen is intussen van alles veranderd. Douches zijn aangelegd, keukens gemoderniseerd, kamers en suite uitgebroken. Doorzonwoningen zijn erg in trek. Meerdere lichtpunten, in plaats van die ene centrale lamp, scheppen sfeer, net als de schrootjes langs de muren.

We kijken onze ogen uit op de Huishoudbeurs, die elk jaar een groot succes blijft, ondanks het later opkomende feminisme.

De huisvrouw wordt geholpen door steeds meer apparaten die voor een deel al wel bestonden, maar die nu binnen ieders bereik komen: de automatische wasmachine, koelkast, centrifuge, elektrische naaimachine, mixer, het lichtgewicht strijkijzer.

De laatste kolenkachels gaan de deur uit en worden vervangen door gas- of oliekachels, maar liever nog door centrale verwarming, gestookt met het nieuwe aardgas uit Slochteren. De pomp in de boerderijen verdwijnt, ook ver weg gelegen boerderijen beschikken nu over stromend water en een gewoon toilet.

Halverwege de zestiger jaren heeft bijna vier van de tien huishoudens nog steeds geen televisie, zes van de tien nog geen telefoon en bij de helft van de Nederlanders staat 's middags nog steeds de warme maaltijd op tafel.

De nieuwe gezinnen zijn niet meer in staat of bereid de ouder wordende (groot)ouders in hun huis op te nemen en de nieuwe AOW biedt ouderen een eigen inkomstenbron; op grote schaal worden bejaardenhuizen gebouwd. Daarvan maken veel ouderen ook vaak graag en dankbaar gebruik ('zelfstandig blijven', 'onafhankelijk zijn van je kinderen, die hun eigen leven moeten kunnen leiden', 'geen genadebrood eten'). Bitterheid is er ook ('ik word afgedankt', 'daar heb ik nou mijn leven lang hard voor gewerkt', 'ik ben blijkbaar alleen nog maar een last voor ze').

Als het gaat over 'de zestiger jaren' bedoelen we overigens meestal vooral de tweede helft daarvan en die tijd loopt naadloos over in het begin van de jaren zeventig. Daarom is de scheiding tussen de zestiger en de zeventiger jaren hierna dan ook alleen een kunstmatige.

# DE ZEVENTIGER JAREN

Tot en met de eerste helft van de vijftiger jaren was de belangrijkste vraag in het sociale verkeer: 'Hoe hoort het eigenlijk?' Daarna is de slinger de andere kant op bewogen en die lijkt nu de uiterste stand te bereiken, zo rond het midden van de zeventiger jaren. De vraag 'hoe hoort het?' wordt ingeruild voor de kreet: 'Alles moet kunnen!'

De roerige sixties zetten zich vooralsnog door in de seventies. De revolte van eind zestiger jaren is goed en wel achter de rug, maar nu begint de geest van de opstand door te dringen tot in alle lagen van de samenleving. Scholen, verenigingen, dorpsleven, huwelijk, opvoeding: de maatschappij verschiet van uiterlijk en kleur en dat nu ook bij de gewone man, met als gevolg verwarring en polarisatie op brede schaal. Zoals eens op tv werd gesteld: 'De jaren zeventig waren vrolijk, optimistisch, hoopvol en links, maar ook: fel, inktzwart, pessimistisch en rechts'.

### *Bewustwording, debatten en groeigroepen*

De kerken lopen in hoog tempo leeg, taboes worden omver gekegeld en de verschillende groepen ontdekken hun eigen identiteit. Meer dan voldoende stof voor discussies en verder onderzoek.

De 'zoekbeweging', in de zestiger jaren op gang gebracht, vindt in de zeventiger jaren volop navolging, maar nu in werkelijk alle sectoren van het maatschappelijk leven. Zekerheden mogen in die jaren ter discussie worden gesteld in cursussen, sit-ins, debatten en vergaderingen. Vaak leidt dat tot gewoon geklets, maar soms gaat het om serieuzer thema's. Of de samenleving maakbaar is bijvoorbeeld en of *mensen* dus maakbaar zijn, zoals we in die tijd vast geloven. In dat geval is het van belang om de problemen in die maatschappij en in relaties niet uit de weg te gaan, en ook niet ze met de mantel der liefde te bedekken, maar daar juist iets mee te dóén. Grote groepen gewone burgers blijken in deze periode bereid en in staat om echt eens naar zichzelf te kijken.

Zoals milieuvervuiling, het opraken van grondstoffen en olie, de honger en problemen in de derde wereld. Nederland loopt voorop in deze bewustwording. Individualiteit wordt aan de kant geschoven ten bate van het grotere geheel. ('Hún strijd, ónze strijd; internationále solidariteit!') We worden als voorbeeldland gezien en vaak haalt ons land de wereldpers. Er is geen leider en we blijven vaak onbekenden voor elkaar, maar we hebben een gemeenschappelijk ideaal: een betere wereld, waar respect zal zijn voor en van iedereen.

We barsten van de idealen en geloven werkelijk dat we die ideale samenleving gaan scheppen. Het Gesprek wordt daartoe heilig verklaard. Oh, wat wordt er veel gepraat in die zeventiger jaren. We praten, redeneren en bomen, alsof we er nooit genoeg van kunnen krijgen. Het achterste van de tong willen we van elkaar weten. Wat we denken. En hoe we ons daar dan bij voelen. En of dat allemaal wel klopt. Alles moet bespreekbaar worden gemaakt, met elkaar en met 'de maatschappij'. Bij volwassenen en kinderen, mannen en vrouwen, ouderen en jongeren. In tweetallen of in groepen, professioneel of vrijblijvend. Discussies die hout snijden en volstrekt marginale discussie-om-de-discussie.

'Het moet democratisch beslist worden'. Alles. Elk thema kan oeverloos worden. Over hoe laat we gaan vergaderen en waarom eigenlijk altijd op dezelfde tijd en hoe lang die vergadering dan gaat duren en of er pauze gehouden wordt. En iedereen die zich progressief voelt, schrijft alle woorden in spreektaal (emansipaatsie, demokratiese akties).

Al dat praten en zoeken leidt tot de eerste groeigroepen/bewustzijnscursussen. Binnen een paar jaar zijn er mannenpraatgroepen ('wie ben ik/zijn wij eigenlijk, als man?'), vrouwenpraatgroepen ('wie ben ik/zijn wij eigenlijk, als vrouw?'), therapiegroepen in vele soorten en maten en zelfhulpgroepen in allerlei vormen. Dat zoeken gebeurt in die jaren vooral op een warme, zachte manier ('de geitenwollensokken-aanpak'), waarmee problemen en conflicten soms ook verstikt en 'doodgeknuffeld' worden. Er wordt gevoeld en gezocht en bewust geworden. Ook individueel zoeken we naar groei en bewustwording.

Natuurlijk wordt 'dat geouwehoer' door een groot deel van de Nederlandse bevolking met argwaan en spot gadegeslagen. Al dat therapeutische gedoe, waar is dat nou goed voor? Dat wroeten in jezelf maakt je maar ongelukkig en ontevreden. Het wordt zelfs gezien als een oorzaak van de eerste golven echtscheidingen, of zelfs van opname in een psychiatrische kliniek: '... want Anneke, je weet wel, die vriendin van de zus van Kees, nou, die heeft ook meegedaan aan zo'n praatgroep en die...' Het argwaan is met name bij de ouderen te vinden en bij de minder hoog opgeleiden, want er wordt tenslotte nogal een verbaal vermogen gevraagd tijdens al die zoektochten.

Berucht worden de sensitivitytrainingen, een groepsproces waarin de deelnemers worden aangemoedigd om onbeperkt hun gevoelens 'in de groep te gooien'. Uiteindelijk ontstaan vanuit die hoek de allereerste managementcursussen.

***Flowerpower zet door***

Al aan het begin van dit decennium is het hoogtepunt van hippies en flowerpowerbeweging voorbij. Er zijn ook bijna geen voortrekkers meer, alleen nog volgers, en de commercie maakt zich nu meester van de verschillende thema's. Daarmee is de beweging ten dode opgeschreven. Zoals een ex-hippie het verwoordde: 'De bloemenkinderen raakten uitgebloeid'. Maar de invloeden sijpelen door en zullen nu pas de massa gaan bereiken. Uiteindelijk zal iedereen er hoe dan ook door beïnvloed worden. Ook bij de gewone burger blijft het nette pak nu in de kast hangen en twinsets, strakke rokken en naaldhakken verdwijnen volledig uit het straatbeeld.

Nieuwe kledingwinkels, waar de harde beatklanken uit de luidsprekers schallen, richten zich speciaal op de jongere generatie. Iedereen draagt spijkerbroeken en nu ook de jongens sieraden en kleurrijke kleding dragen en soms ook behoorlijk hoge blokhakken, zijn de uiterlijke verschillen tussen jongens en meisjes een tijdlang zo goed als verdwenen, zeker wanneer je ze van achteren ziet. Alle jongeren hebben lange haren en bij de mannen zijn ook baarden, bakkebaarden en snorren volop aanwezig. De rest van de wereld kijkt met verbazing naar de Nederlandse landmacht, waar het de militairen, na de zoveelste interne strijd, wordt toegestaan om de haren tot op de schouders te dragen, maar dan wel ofwel in een staart bijeen gebonden, of in een haarnetje opgeborgen.

### *Communes*

We zoeken naarstig naar andere, betere manieren van gezinnen vormen, kinderen opvoeden, samenleven met elkaar. Wooncommunes, in de zestiger jaren nog een zeldzaam fenomeen, schieten nu als paddenstoelen uit de grond, maar vallen vaak ook weer even snel uit elkaar, want de voetangels en klemmen liggen voor het oprapen: de inbreng en verdeling van de financiën en de verdeling van de huishoudelijke plichten bijvoorbeeld leiden bijna steevast tot problemen: 'Jullie doen wel erg weinig in de huishouding, zeg!' Of: 'Het lijkt wel alsof ik de enige ben die op tijd zijn geld stort'. Persoonlijke gevoelens en relaties zaaien onrust en verwarring: 'Ik ben jaloers, maar dat is bezitterig, dus ik mág dat niet voelen'. En ondanks een idealistische wens tot gelijkheid en broederschap blijkt de behoefte aan privébezit vaak toch sterker dan de belangen van het geheel: 'Moet je zien hoe jouw kind met mijn gitaar is omgegaan!' Eind zeventiger jaren, op enkele geslaagde uitzonderingen na, is het fenomeen commune alweer verdwenen.

Ook bij 'de gewone man' ontstaat intussen een vrijere moraal. Daar zegt men nog wel te gruwen van 'dat smerige gedoe in communes', maar er verschijnt nu wél een lawine van contactadvertenties in kranten en parochieblaadjes: '...en zoek een vrouw (man) om samen de eenzaamheid op te lossen'.

VANEEN
KALE KIP KUN
JE NIET PLUK
DOLLE MINA

***Seksualiteit***

In 1970 is naaktheid nog allesbehalve gewoon. Naakt werd steeds gezien als 'vies', maar wordt nu vaak juist geassocieerd met eerlijkheid en puurheid. In 1971 schokt modeontwerper Yves Saint Laurent de wereld met een naaktposter die gemaakt is ter gelegenheid van de eerste mannengeur. Maar alles went, ook zo'n naakte vent. Het groene PSP-verkiezingsaffiche doet in datzelfde jaar nog wel even flink stof opwaaien, met dat blote dansende meisje voor die koe in de wei, maar och, eigenlijk moet het toch kunnen; een rel wordt het al niet meer.

'Naaktlopen' is dus verboden in verband met de openbare zedelijkheid die in het geding is, maar het is ook spannend en streaken (naakt voor groot publiek rondrennen) zorgt nog even voor een hype. Doel is natuurlijk om te shockeren en de intentie is om zo lang mogelijk uit handen van de gealarmeerde politie te blijven. Het gebeurt een tijdje op markten, bij voetbalwedstrijden, of gewoon in de winkelstraat.

De wet wordt veranderd. De eerste naturistencampings en sauna's gaan van start.

Het lichaam laten zien mág en de seksuele revolutie barst nu goed los. In deze jaren worden echt alle taboes rondom naaktheid en seksualiteit overboord gegooid en niets is meer te dol. Seksuele voorlichting op school wordt onderdeel van de verplichte leerstof, maar niet nadat eerst felle discussies op dat gebied zijn losgebarsten, 'want dit is toch de goden verzoeken, om die kinderen maar alles te laten weten op zo jonge leeftijd!'

Op seksueel gebied moet nu alles kunnen. Leve de vrijheid! 'Alles' is weliswaar wel héél erg veel, maar het lijkt een tijdje ook werkelijk zo te zijn. Vrije liefde (je doet het gewoon met iedereen die je aardig vindt), groepsseks (iedereen doet het met iedereen, da's pas leuk), ruilseks (met een ander stel), sleutelclubs (een spannende variant op de ruilseks; je 'loot' een sleutel, plus de man of de vrouw die daarbij hoort) trio's, minnaars en minnaressen... En veel homo's komen plotseling uit de kast, trots op hun 'geaardheid'. Op grote schaal gaan we experimenteren met wat zo lang omgeven was met ge- en verboden. Geslachtsziekten houden hun opmars, maar aids blijft tot in de tachtiger jaren onbekend. Het zijn de jaren van seks, drugs en rock 'n roll. Pil, condoom en abortus (toegestaan sinds 1971) bieden nieuwe mogelijkheden.

De ouderen schudden hun hoofd en spreken van sodom en gomorra en een poel der zonde en waar moet dat toch met de wereld heen?! Maar we luisteren niet meer. Oud-zijn is nu heel erg uit.

***Antiautoritaire opvoeding***

In die sfeer van revolutionaire veranderingen en weg met de burgerlijkheid, komt ook de opvoeding van kinderen in een totaal andere stroom terecht. Veel communes zullen alleen al struikelen over de eindeloze reeks moeilijkheden die ontstaan bij het thema: de opvoeding van de kinderen. We vinden dat dezelfde vrijheid die we als volwassenen claimen, evengoed moet gelden voor kinderen. Daarmee komt de antiautoritaire opvoeding in zwang: kinderen moeten niet geremd worden in hun ontwikkeling, dan zal het vanzelf goed komen. Ouders of opvoeders willen zich niet langer boven hun kinderen plaatsen, maar beschouwen hen als gelijkwaardige gesprekspartners.

Zo weinig mogelijk regels, correcties en opvoedingsnormen; laat ook kinderen hun eigen mogelijkheden en grenzen zoeken. Kinderen leren om zich in te leven in een ander en om met elkaar te overleggen. Maar duidelijkheid, structuur en discipline ontbreken. De opvoeding is werkelijk grenzen-loos en de wensen van volwassenen worden nu op grote schaal ondergeschikt gemaakt aan die van kinderen. Ook dat is weer nieuw in de lange evolutie van de mensheid: 'koning kind' doet nu zijn glorieuze intrede en dat zal in de loop van de volgende decennia ook niet meer veranderen.

Wie nu nog vasthoudt aan rust, reinheid en regelmaat is wel héél ouderwets geworden en die drie-eenheid wordt nu op grote schaal bij het grof vuil gezet.

De eerste groep van opvoeders die de antiautoritaire opvoeding omarmt, richt een crèche op (de kresj) en dat vindt overal navolging. De ouders, ook de vaders, participeren daar volledig in, zij zijn de kresj. Die ouders, met hun verschillende achtergronden en ideeën, van provo of hippie tot marxist, moeten nu hun theorieën toetsen aan de praktijk en aan elkaar. In wekelijkse, soms dagelijkse vergaderingen wordt het gedrag van ouders en kinderen geanalyseerd. Ingrijpen bij de kinderen is taboe, zelfs bij elkaar te lijf gaande kleuters. Ook zij moeten de vrijheid hebben om hun eigen grenzen te zoeken en hun eigen kracht te ontwikkelen. En dat kon naar huidige maatstaven soms behoorlijk onveilig zijn! Kinderen moeten vrij kunnen spelen met verf, maar als het toevallig zo gebeurt, ook met poep, schaar of hamer. Ook is het niet erg gewenst dat het kind zich teveel hecht aan haar of zijn ouder, want dat belemmert immers de vrije karaktervorming. Dat wordt in vergaderingen dan weer aan de kaak gesteld.

Veel kinderen én hun ouders zullen geleden hebben tijdens die experimenten; het heeft in elk geval niet 'de nieuwe mens' opgeleverd, die toen optimistisch werd verwacht.

Ook op school verandert 'meester Van Boom' in 'Piet' en het klassikaal onderwijs wordt voor een groot deel vervangen door groepswerk. Hoogwaardigheidsbekleders en excellenties worden bij voor- en achternaam genoemd en de koningin wordt gewoon een mevrouw.

De ouderen schudden hun hoofd.

***Spirituele zoektocht***

In die maalstroom van veranderingen rukt ook 'het hogere' op een nieuwe manier aan de teugels. De kerken raken steeds leger en naar de maatstaven van de paus in Rome is Nederland inmiddels een missieland geworden. Roepingen blijven uit, kloosters worden verkocht, kerken gesloten. Priesters en paters, fraters en broeders trekken een gewoon kostuum aan en de nonnen een jurk. De kloosterlingen die nog over zijn, wonen nu veelal in kleine groepjes in gewone rijtjeshuizen, op zoek naar een nieuwe vorm van religieus leven. In de kerken worden de missen opgefrist en gemoderniseerd met beatmuziek en jongerenkoren. Het is te laat, in 1980 blijkt het zo schijnbaar diepgewortelde katholicisme in Nederland bijna volledig weggevaagd. De nieuwe generatie begint al te vergeten waar Pasen eigenlijk voor staat, of Pinksteren, Hemelvaart, Goede Vrijdag of Allerzielen. Bij het katholieke volksdeel gaat dat proces het snelst, maar ook bij de protestanten is de leegloop niet meer te keren.

Nu de steeds minder bezochte kerken niet meer in staat blijken om de talloze zoekers een weg te wijzen, moeten we het ineens zelf uitzoeken. Dat doen we ook. Nieuwe vormen van spiritualiteit breken baan.

Zo wordt de 'wilde indiaan' uit de films in deze jaren een 'nobele indiaan', nadat het besef is doorgedrongen dat deze oorspronkelijke bewoners van Amerika een heel eigen, diep-spirituele band met Moeder Aarde ontwikkelden. Om dezelfde reden groeit ook de aandacht voor het sjamanisme van de 'primitieve' culturen. Maar de westerse zoekers kijken toch vooral naar het Verre Oosten. Hindoes en boeddhisten lijken antwoorden te hebben voor de verdieping waar we behoefte aan hebben. Yogacursussen worden 'hot', meditatie begint voor velen de plaats van bidden in te nemen en Indiase goeroes krijgen plotseling honderdduizenden volgelingen. Maharishi Mahesh Yogi wordt bekend en beroemd nadat de Beatles hem bezoeken en zijn leer uitdragen: de transcendente meditatie. Hij voorspelt een meetbare verbetering in de wereld wanneer 1% van de wereldbevolking twee keer per dag ruim een kwartier aan transcendente meditatie doet. (Blijkbaar is die 1% nooit gehaald?)

Maar verreweg de bekendste goeroe wordt Bhagwan Shree Rajneesh, met zijn ashram in Poona, India. Bhagwan propageert dat ieder mens een potentiële Boeddha is en dat individuele innerlijke bevrijding mogelijk is. Iedereen kan het leven beleven in plaats van te overleven, en onvoorwaardelijke liefde is mogelijk. Zoeken in jezelf is de kern, de hulp kan komen van meditatie, therapieën en liefde. Liefde betekent dan onder andere: vrije seks. Is dát het wat zo aanslaat? Tienduizenden uit alle delen van West-Europa en Noord-Amerika vertrekken naar Poona en keren terug in rode of oranje kleren; zij zijn sanyassin, volgeling, geworden.

De ouderen kijken met ongeloof toe.

***Feminisme***

Als er één groep is die in deze jaren profiteert van groei, bewustwording en ontwikkeling, dan zijn dat wel de vrouwen. De plaats van de vrouw in de samenleving verandert in deze periode totaal. In de zeventiger jaren is zij heel wat beter geschoold dan haar voorgangsters, staat steviger midden in de maatschappij en het aantal op te voeden kinderen is nu ook kleiner dan ooit. Haar financiële positie is een stuk sterker geworden. Vrouwen hebben nu betere banen en zo niet, dan biedt de nieuwe bijstandswet aan alleenstaande moeders toch een gegarandeerd inkomen.

Vond de eerste feministische golf plaats aan het begin van de twintigste eeuw, met als belangrijkste eis: stemrecht voor vrouwen, nu overspoelt de tweede feministische golf het westen. Vrouwen vechten zich in deze periode voorgoed uit de enige hen toebedeelde gebieden van 'kerk, keuken en kinderen'.

Het startschot knalt in 1970. We zien ineens bij het journaal verbazingwekkende beelden van groepen vrouwen die zich Dolle Mina's noemen en die demonstratief hun blouse omhoog trekken, zodat we kunnen lezen wat op hun bh-loze lichaam te lezen staat: Baas in Eigen Buik! Vrouwen eisen het recht op om zelf te bepalen of zij een zwangerschap mogen onderbreken wanneer zij dat voor het kind en/of voor zichzelf verantwoord vinden. Zij eisen niets minder dan legale abortus, die door politici, dus door mannen, alsmaar wordt tegengehouden. Duizenden woedende vrouwen demonstreren en zingen: 'Er is een kindeke geboren op aard... Het was niet gewenst maar het werd toch gebaard...' Even felle reacties van tegenstanders volgen. 'Moord!' roept een groot deel van de Nederlandse, meest christelijke bevolking. Talloze verenigingen en stichtingen schieten omhoog, met namen als 'Vereniging ter Bescherming van het Ongeboren Kind' (VBOK) en 'Redt het ongeboren Kind'.

Een paar jaar later opent de Bloemenhovekliniek haar deuren, de eerste kliniek voor legale abortus, uitgevoerd door reguliere artsen. Het geeft een gigantische rel en feministen bezetten een tijdlang de Bloemenhovekliniek, om een dreigende sluiting te voorkomen. De kliniek blijft open en ook tot in het verre buitenland weten vrouwen de weg daarheen te vinden.

Vaders hebben er maar één woord voor de Dolle Mina's: 'Manwijven!' en moeders waarschuwen hun dochters zich toch vooral verre te houden van dit soort enge vrouwen. Dolle Mina's zijn echter allesbehalve zure types, maar jonge, frisse, ongebonden meiden. Aanvankelijk gaat het om een voorhoede, maar gedurende de hele zeventiger jaren groeit de vrouwenbeweging snel aan en die heeft nog meer wensen dan alleen legale abortus. 'Vrouwen, word wakker!'

is de leus. En: 'Marie, word wijzer!' Bewustwording van de eigen situatie is het eerste doel dat het feminisme nastreeft. De vrouwen moeten achter dat fornuis vandaan! Huisvrouw-zijn is 'onderdrukkend' en leidt tot niets, behalve tot onvrede en verlies van zelfwaarde. Vrouwen moeten juist midden in de maatschappij staan en blijven werken; niet alleen voor het geld, maar ook en vooral voor het broodnodige gevoel van zelfwaarde en zelfvertrouwen, voor hun status en onafhankelijkheid.

Het moet nu maar eens duidelijk zijn: vrouwen worden wel degelijk onderdrukt. Door mannen. Vrouwen hoeven de mannen niet af te wijzen, maar moeten wel éérst weten wie en hoe ze zelf zijn en wat ze eigenlijk willen. En dat onderzoek kan het beste gebeuren samen met andere vrouwen. Praat- en zelfhulpgroepen, vrouwenorganisaties, vrouwenhuizen, vrouwenbladen (niet de *Margriet* of *Libelle*, maar bijvoorbeeld *Opzij*), vrouwencafés, vakantieadressen voor vrouwen, al dan niet met hun kleine kinderen, Blijf-van-mijn-lijfhuizen... ze schieten uit de grond. Het dondert niet waarmee een vrouw bezig is, áls ze maar bezig is. En als dat maar níét met de afwas is. Vrouwen vragen in hun acties dringend aan de mannen om in huishouding en opvoeding hun deel op zich te gaan nemen.

Er wordt aan een ander soort seksuele voorlichting gedaan: 'Klaar is Kees, maar hoe zit het nu met Marie?' Veel liederen worden gezongen. Op de wijs van *When I'm Sixty-four*, van de Beatles: 'Als ik niet klaar kom, dan denk ik steeds/ komt er nog wat van?/ Ik kronkel en ik worstel en ik bonk zo vlijtig mee/ maar ik voel me toch nooit tevree/ Mijn man ligt te ronken, hij heeft zijn gerief/ maar ik lig zo alleen/ Ik kan niet meer voelen, ik lig maar te woelen/ Oh, waar moet dat heen!?' Op de wijs van Piet Hein: 'Heb je wel gehoord van die goudblonde Lot/ die goudblonde Lot uit Zwolle?/ Ooit noemden de mannen haar 'lieve dot'/ maar zij liet niet met zich sollen/ 'Weg zot!' sprak Lot, 'Weg zot, ik ben een pot!/ Ik moet geen enkele vent, ik ben teveel verwend/ Wie wil een vent als ze vrouwen kent?! (bis)' En Lavender Jane zingt: '*Any woman can be a lesbian...*'

Veel ludieke acties worden gevoerd. Openbare urinoirs, nog volop te vinden in het straatbeeld, worden 'afgesloten' met roze linten ('wij niet, dan jullie ook niet'). Een brandstapel wordt gemaakt van bh's: 'Ban de bra!' Anja Meulenbelt schrijft haar boek *De Schaamte Voorbij* dat inslaat als een bom; het beleeft de ene herdruk na de andere. In haar autobiografische verhaal herkent half vrouwelijk Nederland zich.

Vooral de VOS-cursussen (Vrouwen Oriënteren zich op de Samenleving) zijn voor velen een eyeopener, vooral voor de lager geschoolden.

Een vrouw vertelt: 'Op een VOS-cursus wilde ik al zo lang ik getrouwd was. Je leert mensen kennen en je kunt er dingen kwijt die je nergens anders kwijt kunt. Je leert luisteren. Ze zetten je in twee groepen: een luistergroep en een discussiegroep. Je bent verplicht om eerst te luisteren en dan mag je pas kritiek leveren. Ik vind het leuk om me meer dan normaal in iets te verdiepen. Als je dan thuiskomt van de VOS zit je boordevol energie en dan wil je vertellen. Veel mannen reageren daar zo op van: oh, daar komt de rooie vrouwenclub weer aan. Dan kun je het niet kwijt, hè... Vorig jaar wilde ik werken, asperges steken.

Peter wilde dat niet, maar ik ben toch gaan werken. Ik maak toch zelf uit of ik ga werken of niet! Al die weken heeft Peter voor Pascal gezorgd. En als ik dan thuis kwam stond het eten klaar en was het huis aan kant. Heerlijk vond ik die tijd. Ik was eruit, ontmoette andere mensen...'

Sommige vrouwengroepen radicaliseren en er zijn ineens wel heel veel vrouwen die zichzelf lesbisch noemen, want 'je gaat toch niet met je onderdrukker naar bed!'

De traditionele moeders die met een kopje thee en een koekje hun kinderen uit school opwachten zijn er nog steeds, maar ze raken in de minderheid. Moeder heeft het te druk met emanciperen.

In 1975 is de tweede feministische golf een feit geworden. Geen enkel zichzelf respecterend dag-, week- of maandblad kan het thema nog negeren. Veel mannen voelen zich door 'die gefrustreerde manwijven' bedreigd. Terug naar de keuken zeg, in plaats van naar de moedermavo!

Overigens zagen allerlei groeperingen, zoals Man Vrouw Maatschappij, de man niet als een vijand, maar als degene die zelf mee zou moeten emanciperen. Dat gebeurde ook. Mannen begonnen hun eigen man- en vaderzijn te onderzoeken en begonnen te praten over 'de vrouwelijke waarden in ons eigen leven'.

***Welvaart***

De welvaart groeit nog even door. Wanneer het in je leven tegenzit, dan zijn daar nu allerlei riante uitkeringen voor. En heb je een idee? 'Roept u maar!'

met als resultaat dat je na korte tijd een ruimhartige subsidie van gemeente of staat tegemoet kunt zien; van geld voor een groots opgezet buurtfeest met alles erop en eraan tot het onderhouden van zelfbenoemde kunstenaars die hun werk niet kunnen verkopen. De subsidiebomen groeien tot in de hemel.

Amsterdam-Zuidoost, De Bijlmer, wordt volgebouwd, een groot voorbeeld voor binnen- en buitenland. We laten zien hoe je grote aantallen mensen riant kunt huisvesten in enorme appartementsgebouwen met rondom toch veel groen, ruimte en licht. En de 'bloemkoolwijk' doet zijn intrede: dicht op elkaar staande woningen, in soms grillige straatpatronen, die zo als het ware miniwijkjes in de wijk vormen. Ook nieuw: woonerven, daar heeft de voetganger het nu eens voor het zeggen en is de auto te gast.

De overheid probeert de verkeersveiligheid te verbeteren door maatregelen zoals de draagplicht van valhelmen door bromfietsers en autogordels door automobilisten. APK en het blaaspijpje worden ingevoerd.

De meubelboulevard is een nieuw verschijnsel dat ook heel veel klanten trekt en dankzij de vele bladen volgen we de verschillende stijlen in woninginrichting op de voet. De interieurs kleuren bruin, oranje en groen. Op biezen matten staan zitzakken en voor de ramen hangt macramé-haaksel. Als het kan hebben we ook graag een zitkuil in huis, met grote kussens; dat is echt helemaal in. En schrootjes. Heel veel schrootjes, overal in huis, ook tegen het plafond. Zelfs het toilet wordt huiselijk, met frutsels en nu *zacht* toiletpapier. Zo goed als iedereen heeft telefoon. Dekens en lakens worden in hoog tempo afgeschaft, dekbedden en hoeslakens komen ervoor in de plaats.

Grote groepen Nederlanders gaan voor het eerst naar het buitenland op vakantie. Dat is alleen al avontuurlijk omdat toeristische informatie over Frankrijk, Spanje of Italië nauwelijks bestaat, hoogstens zijn er een paar algemene reisboeken. Frankrijk geeft Michelingidsen uit over elke streek van het land en die zijn ook heel goed, maar ze bestaan alleen in het Frans, dus wie kan die lezen?

Al tijdens de flowerpowertijd slaat de nostalgie toe naar het nog maar net-voorbije verleden. Terug naar de tijd toen het leven nog overzichtelijk en minder hectisch was. Die rookstoel van opa, dat stokoude 'lelijke' servies en de oude leren jas van je oom, ze zijn ineens trendy en hip (nieuwe woorden).

De dorpen zijn al sinds de zestiger jaren aan het leeglopen. Schaalvergroting, ruilverkaveling, subsidies, het zijn nieuwe woorden die de wereld van de kleine boer flink opschudden. De staat subsidieert de boeren die willen stoppen en grote bedrijven of de staat willen betalen voor de grond die vrijkomt. Dat wordt wel heel aantrekkelijk! Veel boerenzonen hebben ook geen zin meer in het zware werk van hun vaders, liever gaan ze naar de stad: meer loon, vrije weekends en een paar weken vakantie. Kleine boeren houden er dan ook in groten getale mee op. De boeren die blijven, breiden in hoog tempo uit. Meer productie en efficiënter werken, is het parool.

Maar eind zeventiger jaren is de rek eruit. Woorden als rundvleesberg, melkplassen en boterbergen krijgen een plaats in de Dikke Van Dale. Subsidies worden onbetaalbaar.

Intussen worden de boerderijtjes van de kleine boeren, die de strijd tegen de schaalvergroting hebben opgegeven, symbool van de nostalgie naar het net-voorbije verleden en die worden op grote schaal door stedelingen gekocht. Met hun romantische ideeën over het plattelandsleven trekken makelaars of leraressen na werktijd op hun beurt de overall en klompen aan, om kleinvee, moestuin of rozen te gaan verzorgen. *Ot en Sien,* een kinderboekenserie uit de eerste helft van de twintigste eeuw, verschijnt in herdruk.

Helaas, dat landleven blijkt vaak tegen te vallen. De eenzaamheid van 'begraven zitten in de polder', het voor de dorpelingen toch een vreemdeling blijven, de rupsen die alles opvreten… Al in het volgende decennium zal zich een tweede golf kopers melden, die deze boerderijtjes ingrijpend en comfortabel zal verbouwen tot een riante woning en waar een tuinman wordt ingehuurd om wekelijks bloemen en gazon te verzorgen.

We krijgen STER-reclame, het derde Nederlandse net en kleurentelevisie. Genoeg mogelijkheden om te kijken naar gezellige programma's voor het hele gezin. Voornamelijk de zaterdagavond is bij velen de televisieavond bij uitstek, waar we eens goed voor gaan zitten. *De Mounties Show, De André van Duin Show, Wie van de Drie, De Wie-Kent Kwis, de Berend Boudewijn Kwis, Tweekamp, Te land, ter zee en in de* *lucht...* Uit het buitenland worden series aangekocht als *M*A*S*H*, dat in comedyvorm over de Vietnamoorlog gaat, *All in the family*, een afspiegeling van de tijdgeest. *Are You Being Served*, vol Britse humor. Politieseries en detectives als *Columbo, Starskey en Hutch* en *Kojak*. *The Onedin Line* en *Love Boat* varen nog tot ver in de tachtiger jaren door en ook *Het Kleine Huis op de Prairie* is eindeloos. Fans zien hun populaire popartiesten voorbij komen in *Avro's Toppop*, met Ad Visser als presentator en Penney de Jager als dansende rode draad.

Maar het is echt niet allemaal zo zacht en vrolijk als het achteraf lijkt. Vooral in de jaren 72 -75, de jaren dat 'alles moet kunnen' zijn programma's regelrecht eropuit om te shockeren. Van Kooten en De Bie zijn in hun ironie niet kwetsend, maar de absurdistische programma's met Fred Haché en Barend Servet veroorzaken veel ophef met blote danseressen, een blote man die wel een trui, maar geen broek draagt, vloeken, of vol in een hondenpoep stappen ('Pollens!'). In 1972 wordt een spruitjeskoningin opgevoerd, een vrouw die duidelijk afkomstig is uit 'de lagere klasse', knullig acterend met een plat accent en al, als koningin-van-het-volk bezig met spruitjes schoonmaken. Zij moet wel heel erg duidelijk koningin Juliana verbeelden. Weer is een rel geboren. Majesteitsschennis! Voor de nog vele koningsgezinden en voor de nog steeds bloeiende Oranjeverenigingen is dit een dolkstoot in het hart. De scène leidt tot Kamervragen en bijna wordt de VPRO zendtijd ontnomen. Het blijft beperkt tot een berisping.

Lufthansa
MILIEU-BESCHERMING
=
ZELF-BEHOUD
LUBBERS
KRIJGDE

A380
Baas
EIGEN

***Muziek***

Ineens is daar de cassetterecorder! Die maakt de (langspeel)platen en de grote bandrecorders overbodig. Er wordt nu muziek opgenomen die niet méér kost dan wat je moet uitgeven voor een cassettebandje. We gaan grootscheeps kopiëren. Heel veel muziekstijlen schreeuwen in dit decennium om aandacht. De westerse popmuziek laat zich inspireren door andere culturen. Reggae, soul, funk, rythm and blues, hardrock, disco.

In 1974 wint ABBA het Eurovisie Songfestival met *Waterloo* en zij veroveren de wereld.

De mode wordt steeds fantasierijker. Minirokken, eind zestiger jaren al opgedoken, bereiken de brede lagen van de vrouwelijke bevolking. En mini is nu ook echt mini! Bonte bloezen met wijde mouwen en daar overheen een overgooier van leer. Overal franjes. Spijkerjasjes en tuinbroeken. De broekspijpen worden steeds wijder, soulbroeken, waarop dan strakke truitjes. Plateauzolen.

Discotheken, met lichtgevende dansvloeren en discoballen komen op. Disco is een afkorting, maar staat ook voor de muziek die wordt gedraaid. Voornamelijk muziek waar men gemakkelijk op kan dansen. De film *Saturday Night Fever* met John Travolta haakt in op deze trend en wordt een topper. In de disco moet je eigenlijk speciale kleren dragen om deel uit te maken van de sfeer: stretchmateriaal en reflecterende kleuren, die glinsteren in de discolichten. En verder halter-nektopjes, hotpants, catsuits.

***Veranderend consumeerpatroon***
Waren we tot nu toe vooral bezig geweest met 'brood op de plank', nu zijn we niet langer tevreden met bloemkool, spruitjes en witlof. Iets spannenders graag! We moeten echt gaan nadenken over wat we gaan eten. Koken wordt gecompliceerder, vooral omdat er steeds meer nieuws op de markt komt rond keukenhulpjes, recepten en kruiden en ook de open keukens vragen om meer creativiteit. 'Gezond leven' wordt een thema en dat kán natuurlijk ook pas in een tijd van welvaart. Net als het volgen van diëten; dik worden is vanaf nu not done. Diëten in soorten en maten om af te slanken worden een must en een rage. Maar daarnaast begint juist óók het grote snacken. Meer keus, en in grotere en fantasierijker verpakkingen.

En zoals we in de zestiger jaren met z'n allen 'de Chinees' omarmden, zo doen we dat nu op even grote schaal met de vleesfondue.

En plotseling gaan we met z'n allen in deze jaren massaal aan de drank. Om de een of andere reden wordt sherry, een Spaanse versterkte wijn uit Spanje, zo rond 1975 heel favoriet. Zó favoriet, dat iedereen wel een of meerdere flessen in huis heeft en dat later op feesten zelfs 'sherry-cans' worden gekocht met twee, drie, vijf of zelfs tien(!) liter sherry. En dan het liefst medium. Of, nou ja, sherry... Meestal is het amontillado die wel ongeveer hetzelfde smaakt, maar die, gezien de prijs, echt geen goede sherry kan zijn. Het gaat in elk geval wel op, want er wordt véél gefeest en ook véél gedronken in die jaren. Zo'n feestje wordt vaak snel even ad hoc georganiseerd met vrienden of collega's ('vanavond allemaal bij mij?'). Een paar weinig-ingewikkelde hapjes zijn snel klaargezet: zoutjes, stokbrood, Franse kaas, wat rauwe groenten voor bij de dipsauzen die uit een pakje komen... daarop houden we het wel weer een avond vol. Samen met die sherry dus. En dan naar huis. In de auto. Iedereen weet allang dat je met alcohol niet achter het stuur moet zitten, maar hoe kom je anders thuis, want je vrouw drinkt natuurlijk mee. En och, als je nou niet meer dan vier of vijf glazen drinkt? Of zes? Als je maar goed oplet en voorzichtig rijdt...

Ineens is die sherrytijd helemaal voorbij en gaan we met z'n allen eind zeventiger jaren aan de wijn. Supermarktketen Albert Heijn draagt flink bij aan die switch met het huismerk Pinard, verpakt in kartonnen literpakken die naast de appelsap staan. Rood, rosé of wit: het kost maar fl.1,99 en het is verreweg het bekendste wijnmerk van die jaren. Eerst drinken we rosé, later vooral rood. Het is wel even wennen, want die droge (zure!) wijn, nee, die smaakt nog niet meteen.

Tot nu toe heeft ook iedereen er onbekommerd op los gerookt, maar die vervelende boeman, dr. Meinsma van de KWF Kankerbestrijding, wordt niet moe om ons te overtuigen van het feit dat roken toch echt erg slecht is voor de gezondheid. Hoongelach én boosheid. Die man wil ons 'rokertje' afpakken! Narrige reacties. De mopperende niet-roker wordt betiteld als kinderachtig, chagrijnig, of fanatieke muggenzifter, die gewoon zijn mond moet houden en anderen hun plezier moet gunnen. Als die lui er niet tegen kunnen, dan gaan ze maar naar buiten! De rokers hebben het nog volop voor het zeggen en in *deze* kwestie zijn de ouderen het geheel met de jongeren eens.

### *Donkere wolken*

Tegenover de hippie-achtige houding van tolerantie en 'alles moet kunnen' klinkt nu vaak de roep tot 'aksie voeren!' De jaren zeventig zijn het decennium van maatschappijkritiek, emancipatie, medezeggenschap, democratisering. Mede daardoor groeit in de linkse gelederen het besef van onrechtvaardigheid en oneerlijkheid, ook in de rest van de wereld. Internationale solidariteit wordt belangrijk. We lopen ons het vuur uit de sloffen in talloze demonstraties. Het onderwerp kan van alles zijn. Een greep: protesteren tegen nucleaire wapens, de koloniale oorlogen in Angola en Mozambique, de onderdrukking van de zwarte bevolking in Zuid-Afrika, de coup in Chili. Bij het Amerikaanse consulaat worden nog steeds doorlopende demonstraties gehouden tegen de oorlog in Vietnam ('Johnson moordenaar!')

We krijgen te maken met de eerste terroristische acties van eigen bodem. Gefrustreerde Molukkers kapen tweemaal een trein en er vallen doden en gewonden.

Suriname, tot dan toe onderdeel van het Koninkrijk der Nederlanden, krijgt in 1973 de onafhankelijkheid en de inwoners kunnen voor één staatsburgerschap kiezen, dat van Suriname óf van Nederland. Grote groepen Surinamers komen op de valreep naar Nederland. Voor het eerst verandert de kleur in het straatbeeld ingrijpend. Kort daarna gebeurt dat nog een keer, als in het kader van de gezinshereniging veel gastarbeiders hun vrouwen en kinderen naar ons land halen. Nederland verandert definitief in een multiculturele samenleving. De problemen die daarmee gepaard gaan mogen nog niet als zodanig worden benoemd en worden afgedaan als tijdelijk.

Het kabinet van Joop den Uyl (1973-1977) wil spreiding van macht, kennis en inkomen. Maar tegenkrachten, die zich daaraan ergeren vanwege de kosten, de andere inzichten, de politieke drijfveren, komen ook op gang. De VVD van Hans Wiegel en het Ethisch Reveil van Van Agt voorop. Zij ergeren zich aan de hervormingsplannen die de gewone Nederlander dan maar weer moet betalen. Aan dat 'werkschuw tuig dat in de watten wordt gelegd', aan die progressieven met hun reeksen demonstraties. Zij worden daarin bijgestaan door landelijk dagblad *de Telegraaf*, dat nu definitief zijn pad heeft gevonden. Zelfs op een lyceum kon een Van Agt/Wiegel- en een Ome Joop-kamp ontstaan.

Heel het kakelbonte leven van de zeventiger jaren stuit ineens op de harde grenzen van de werkelijkheid.

Tot 1973 blijft de welvaart nog stijgen, maar in dat jaar doet de oliecrisis ons goed voelen dat die welvaart gewoon een onderdeel is van de wereldwijde bewegingen. Zoals altijd. De olieproducerende landen in het Midden-Oosten vinden dat wij in het westen veel te weinig betalen voor de olie. Nu komt daar nog onze openlijke steun aan Israël, hun gezworen vijand, bovenop. Als pressiemiddel en straf worden de olieleveranties aan het westen flink teruggeschroefd en wordt de olieprijs verhoogd met 70%! Het helemaal dichtdraaien van de oliekraan zou de economie van de westerse wereld onherroepelijk doen instorten, afhankelijk als we inmiddels zijn geworden van dat 'vloeibaar goud'. De Nederlandse regering neemt maatregelen: forse rantsoenering. Autoloze zondagen worden afgekondigd om benzine te sparen. Wandelend, fietsend en rolschaatsend trekken we op zo'n dag over de zo goed als lege snelwegen. Het zal uiteindelijk maar één autoloze zondag worden, daarna schroeven de olielanden hun maatregelen weer wat terug. Maar de olie blijft duur en de welvaart begint zachtjes weg te lekken. We gaan niet zozeer bezuinigen, maar vergroten de staatsschuld. In 1970 bedraagt die 34 miljard (omgerekend naar euro's) en is in 1980 tot 86 miljard gestegen. Ter vergelijking: in 2010 is deze 371 miljard.

De combinatie van hoge olieprijzen en een stagnerende economie roept een halt toe aan de groeiende welvaart, waar we zo gewend aan zijn geraakt. Het feest is voorbij, de lichten gaan weer aan, al duurt het nog wel enige tijd voordat we dat door krijgen

En de laatste hippies zwerven door de stad...

Plotseling blijkt ook dat onze welvaart een fikse prijs heeft: de uitbuiting van moeder aarde. De eerste verontrustende berichten halen de krant, waarin staat hoe we bezig lijken te zijn om onze eigen leefwereld te vernietigen. In 1970 koppen de dagbladen al: 'De oceanen liggen op sterven!' Wetenschappers brengen het 'Rapport van de Club van Rome' in boekvorm uit, met de titel: Grenzen aan de Groei. Het wordt een bestseller, 'iedereen' koopt het, al is er geen burger die het echt leest, maar iedereen weet nu in elk geval wél: het gaat niet goed met ons leefmilieu. Het is een eerste dringende waarschuwing aan de wereldbevolking: als we doorgaan zoals we doen, heeft de mensheid geen toekomst meer; we zijn bezig de aarde zodanig te plunderen en te vervuilen dat we daaraan ten onder zullen gaan. Het bericht slaat weliswaar in als een bom, maar we gaan daarna gewoon door met de ernst van het rapport te negeren of te bagatelliseren. Wel wordt nu een begin gemaakt met afvalscheiding en aparte glasinzameling.

Wat we steeds geloofden: dat een betere wereld maakbaar is, begint forse deuken op te lopen. Nu begint, in een afkalvende wereld, een sfeer van pessimisme te ontstaan. Nucleaire dreiging, milieuvervuiling, oprakende grondstoffen, uitbuiting van de derde wereld...

***De slinger gaat weer terug***

In de tweede helft van de zeventiger jaren is het gros van de Nederlandse bevolking wel weer toe aan rust. We hebben grote behoefte aan 'back to normal', na een decennium van heel veel onrust en opgefokte media-aandacht. De ver uitgeslagen slinger begint aan de terugweg.

Nu lijkt weer een zeker 'nestelen' op te treden; de huizen en gezinnen worden meer gesloten ('Graag even opbellen voor je komt').

Flowerpower is iets uit het verleden. Muziek klinkt niet meer psychedelisch en de protestsongs verstommen. Niet voor niets wordt zo'n 'aardige' groep als ABBA ineens wereldberoemd en veranderen de protestsongs in de discosound.

In de grote steden ruimen de hippies het veld voor yuppen (young, urban, professional). De Afghaanse jas wordt verruild voor iets netters. De haardracht wordt korter en baarden en snorren worden weer afgeschoren.

Het aantal echtscheidingen begint dramatisch toe te nemen. Wanneer een echtpaar uit elkaar gaat, is dat in het begin van deze jaren nog een behoorlijk schokkend fenomeen, maar aan het eind van dit tijdsbestek is een echtscheiding al geen groot nieuws meer. Er zijn wel een paar redenen voor die toename. Er is nu grote bereidheid gekomen om een relatie goed onder de loep te nemen. De kerk, die echtscheiding strikt verbiedt, is haar invloed kwijtgeraakt. En de bijstandswet zorgt ervoor dat de dan nog vaak laag opgeleide, gescheiden vrouwen toch over een minimum inkomen beschikken.

***Punkers***

Terwijl een groot deel van de jeugd pastelkleuren óf juist felle kleuren aantrekt om het helemaal te maken in de discotheken, verschijnt een andere groep jongeren op het toneel die daarmee zoveel mogelijk wil contrasteren. Voor hen geen gladde, glinsterende danszalen; zij verzamelen zich in kelders en schuren, in kraakpanden en jongerencentra en delen hun weerzin tegen de gevestigde orde. Vanaf ± 1977 zetten zij, de punkers, zich af tegen alles wat bij die gevestigde orde hoort. Punk is afkomstig uit Engeland en het woord heeft de betekenis van tuig, schorem.

Zagen de jongens in de hippietijd eruit als meisjes, in de punkbeweging zien de meisjes eruit als jongens: versieringen van leer of metaal, leren jacks, soldatenlaarzen, piekhaar of een hanenkam, kettingen, gescheurde kleding en zwarte make-up. De veiligheidsspeld als hét symbool van punk, en dan liefst als sieraad door oren, neus en/of lippen. En zwart dus, heel veel zwart. In de kleding, op de lippen, om de ogen en ook de haren zijn zwartgeverfd (óf in een felgekleurde hanenkam). Hun muziek is rockmuziek, maar dan met rauwe, monotone klanken die voor ongeoefende oren alleen maar op schreeuwen lijken. Globaal is hun boodschap: 'Het leven is helemaal niet zo blij en goed als de brave burgers wel willen geloven'. Punk zoekt de chaos, maar biedt geen alternatieven; *no future*. Zoekt ook geen macht. De onvrede wordt op muren geschreven in de vorm van graffiti. De punkers schudden de maatschappij in elk geval wakker uit de hasj-roes. Na de eerste schrikreactie van de burgerij worden ook punkers al snel weer geaccepteerd; of je nozem, hippie, disco of punker bent, je bent vrij om je aan te sluiten bij de groep waar je je thuis voelt.

***Krakers***

Tot schrik van velen blijkt onroerend goed nu ineens niet meer heilig privébezit, het wordt gewoon ingepikt! Door jongeren die zich krakers noemen. Zij zeggen een bestaande misstand aan de kaak te willen stellen: die van rijke speculanten die zich nog meer verrijken door leegstaande woningen lange tijd, soms jaren achtereen, leeg te laten staan, tot ze de gunstigste prijs ervoor kunnen bedingen, want in de hele zeventiger jaren stijgen de huizenprijzen met sprongen. Wat concreet betekent dat goedkopere woningen worden verkocht aan projectontwikkelaars, die er onbetaalbaar dure woningen of bedrijfspanden voor terugplaatsen.

Gewone burgers durven soms niet eens meer op vakantie te gaan, bang dat hun huis gekraakt is bij thuiskomst. Op grote schaal worden die nieuwe tijdschakelaars aangeschaft, die het huis een bewoond uiterlijk moeten geven door op gezette tijden lampen te laten branden. Ze dienen trouwens ook om de toenemende aantallen criminelen buiten de deur te houden.

De kraakbeweging voelt zich verwant aan de punkbeweging in het zich afzetten tegen de gevestigde orde. Zij omarmt ook de punkmuziek en zo raken punkers en kraakbeweging met elkaar verweven. Beide ontberen in elk geval ludieke trekjes of een lichte toets; het is allemaal bloedserieus! Maar waar de punkers hun eigen wereld creëren en zich afsluiten voor de buitenwereld, gaan de krakers juist vol de confrontatie aan.

Geen enkele kraker zegt '*peace, man*', zoals een aantal jaren terug hun leeftijdgenoten deden. Bij hen is het oorlog en hun vijanden heten politie en ME. Ze maken zich onherkenbaar met Palestijnen-sjaals en laten het aankomen op zware confrontaties. Het aantal kraakacties neemt in de laatste jaren van dit decennium explosief toe, evenals het aantal ontruimingsbevelen dat de rechter tegen de krakers uitspreekt.

De vijandschap tussen punkers en krakers enerzijds en 'de gevestigde orde' anderzijds zal in 1980 uitmonden in de rellen bij de kroning van prinses Beatrix tot Koningin van ons land. 'Geen woning, geen kroning!' Enorme rellen. Het gonst in Nederland, net als in de ons omringende landen. Een sfeer van revolutie hangt in de lucht en die hád kunnen ontbranden in die tijd. Maar dat gebeurde niet.

***Slot***

Einde zeventiger jaren komt er een einde aan de gelukkigste vijfentwintig jaren uit de geschiedenis van Noord-Europa. De babyboomgeneratie is volwassen geworden; tussen hun geboorte en nu liggen die verbijsterende jaren waarin alles op de schop ging. We zijn nu wel nieuwsgierig, maar ook een beetje beducht voor wat de tachtiger jaren ons gaan brengen, want het is nu toch wel een rare tijd geworden.

Nu het feest voorbij lijkt en economisch en politiek het klimaat in de late jaren zeventig omslaat, komen de rechtse krachten aan de macht. Mét dat nieuwe decennium start het ik-tijdperk ('ik voor me eige'). Het zal een tijdperk worden van no-nonsense en bezuinigen.

En zonder dat we ons dat bewust zijn, wordt in de tachtiger jaren een nieuwe tijd geboren. De microchips doen hun intrede en de eerste pc's, personal computers, komen op de markt.

Al het bestaande zal razendsnel totaal verouderen en opnieuw zal de hele samenleving binnen één generatie compleet veranderen.